人民东方出版传媒
東方出版社

自序

坐月子，改善体质的绝佳时机

女性一生的保养，总是和月经、怀孕及生产息息相关。无论是每次月经结束后的坐小月子，或者产后坐大月子，都是改善体质的绝好时机。不仅老一辈的婆婆妈妈，就连现代女性，都知道坐好月子的重要性。但月子坐得好不好，并不是每位妈妈都能正确把握的。门诊常见到没有经过专业人士的指导，而是道听途说，或是听了家中老人的错误建议，吃了上火的药膳，引起燥热后遗症，这些都是产后新妈妈常见的困扰。因此，只有了解正确的坐月子信息，新妈妈才能获得健康，分泌出足量优质的母乳。

笔者发现很多坊间流传的所谓坐月子准则，其实并没有科学的中医理论作为依据，而是现代人根据生活经验总结出来一些似是而非的要求，并非适用于每个产妇，若体质不合者，不仅不能把握坐月子的黄金时期，还会造成严重病症。笔者就认识一位产妇的母亲，自认为女儿产后一定要立刻热补身子，于是不肯遵守医生的嘱咐，结果引发急性乳房蜂窝组织炎，而不能补身体，只能待发炎改善后，才能做调理，这真是得不偿失。另一位本身罹患高血压、痔疮、慢性肝炎及尿酸偏高的产妇，才喝了一碗纯酒麻油鸡汤，就血压飙高，痔疮发作，不得不送至门诊诊治。由此可见，只有中医师了解产妇体质，再量身定做专属的坐月子汤方，才是最安全及有效的补身药膳。

《黄帝内经》记载："阴平阳密，精神乃治；阴阳离决，精气乃绝。"阳盛则身热，阴胜则身寒，所以阴阳双补，凉温一同并用，使身体达到阴阳平衡、不寒不燥的最佳状态。一般人的传统概念中，以为坐月子只能热补，不可凉补，其实这条原则并不适用于所有产妇。假如每天都吃猪肝猪腰，可能引起胆固醇过高的并发症，唯有不偏寒冷、不太燥热的均衡健康饮食，才是产妇饮食的最佳准则。

从怀孕一直到哺乳期，产后新妈妈的情绪与饮食都和宝贝的健康是密不可分的。在妊娠期间，孕妇所吃的食物、化生的营养素，都会经由血液，运送到胎儿体内，影响胎儿体质。而古书也告诉我们，母乳无定性，若母亲的饮食不寒不燥，精神愉悦，必可分泌优质的奶水。相反，若寒冷、燥热及辛辣刺激食物均不忌口，情绪不稳、暴躁易怒，所喂养的胎儿也将阴阳失调，从小体弱多病，抵抗力不佳，容易发烧。因此适当忌口，保持愉快的心情，才是给胎儿或哺乳中的婴儿最好的礼物。

若你在怀孕中或生产后出现了忧郁倾向，除了可向专业的中西医师求治，还要时常将心中的无助与烦闷，告诉身边的家人，让所有爱你的人，陪你度过心情灰暗的时刻。最后你将会发现：天空不再黯淡，生命将因小宝贝的成长而多姿多彩。《圣经》的箴言告诉我们：“喜乐的心，乃是良药。忧伤的灵，使骨枯干。”盼望你能以喜乐的心，迎接你的宝贝，改善你的心情与健康！

在此要感谢我的好友，也是我的妇科医师潘世斌博士，我根据其提供的宝贵的西医产后护理概念，结合我的中医学产后理念，让产后妈咪获得最佳的照顾。每当我完成一本书，就会领受到满满的爱，若没有父母亲及宝贝儿女的支持，知心好友的鼓励及建议，我就无法独自实现推广中医养生的理想。最后再次感谢您对雅惠这本书的支持！

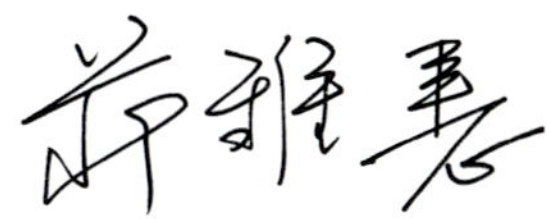

本书使用说明

坐月子调理，一学就会

黄精润肤虾 热量185千卡

功效：美颜淡斑、补肾养肺

美味指数：★★★
难易度：★☆
使用器具：汤锅+炒锅

庄医师小叮咛

● 这道药膳用的虾，只要是新鲜的都可以，不一定非要用沙虾。中药材中的紫苏若可用新鲜的紫苏叶替换，则在做法4时放一起蒸即可。

食材

A 蜜黄精5钱、茯苓3钱、枸杞3钱、丹参1.5钱、桑叶1钱、紫苏1钱

B 沙虾4两、泡发百合半碗、姜3片

调味料 米酒1大匙、盐适量

做法

1 除枸杞和紫苏外，其余药材放入卤包袋中；紫苏放入另一个卤包袋备用。

2 取含蜜黄精的卤包袋，加1500毫升的水，浸泡半小时，以大火煮滚，转小火煮半小时，放入紫苏的卤包袋，熄火焖5分钟，取药汁备用。

3 沙虾用牙签挑除泥肠后洗净。

4 沙虾、百合、姜片、枸杞及米酒放入药汁中，再以大火蒸约8分钟，加盐调味即可。

094

Part 3 坐月子产后第三周至满月

食材

A 玉竹5钱、刺五加3钱、绿萼梅1.5钱

B 田鸡半斤、地瓜叶1两、葱段1根、姜3片

调味料 黑麻油1小匙、米酒少许、盐1小匙

做法

1 田鸡切块备用。

2 所有中药放入卤包袋中，加1500毫升的水，浸泡半小时，以大火煮滚后，转小火煮约半小时，取药汁备用。

3 药汁以大火煮滚后，放入田鸡、葱段、姜片、黑麻油及米酒，续以大火煮至田鸡熟后，加入地瓜叶煮滚后，加盐调味即可。

食材介绍

田鸡 市场有售卖已经处理好的田鸡，甚至还分切好的部位，供自行挑选。

玉竹田鸡汤 热量336千卡

功效：补肾健脾、抗老化

美味指数：★★★
难易度：★
使用器具：汤锅

095

1 **汤品、茶饮名称：** 为本道药膳月子汤的中文名称，通常以主食材、主要药材或功效命名，使读者一看就明白。

2 **功效：** 本道药膳月子汤的主要功效，让读者可以清楚了解食用本食谱可产生的效果。

3 **热量：** 根据本道药膳月子汤的配方、分量，计算出提供的热量。

4 **食材：** 说明本道药膳月子汤食材及分量。食材区分为“A中药材”及“B一般食材”，排列方式是中药材以分量由多到少排序；一般食材则是主食材放在前，再由多到少排序。

5 **调味料：** 制作本道药膳月子汤所需要的调味料及分量。

6 **做法：** 制作本道药膳月子汤所需的详细制作、烹调步骤与方法。

7 **庄医师小叮咛：** 笔者针对本道药膳月子汤因个人状况增减替换的食材或药材，及制作上的注意事项。

8 **食材介绍：** 依照特殊食材或是读者不熟悉的食材加以说明，让读者更清楚了解。

9 **美味指数/好喝指数：** 本道药膳月子汤的好喝程度。★★★表示非常好喝，让人忍不住想多喝；★★表示一般，但没有特殊的中药味；★表示带有中药的苦味或特殊味道。

10 **难易度：** 制作本道药膳月子汤的难易度。★表示非常简单；★★表示有点难度；★★★表示有难度，需要烹饪技巧。

11 **使用锅具：** 制作本道汤品或甜品所需要的各种器具。

本书相关说明

- 每道汤品中所标示的两、钱及克的分量均为实际的重量，包含不可食用部分（如海鲜的壳、排骨的骨头等）的重量；所有的中药、生鲜食材及蔬菜请洗净后再料理。
- 中药计量换算：1两＝50克；1钱＝5克。
  食材计量换算：1斤＝500克；1两＝50克。
  调味料计量换算：1大匙＝15毫升＝3小匙；1小匙（茶匙）＝5毫升。
- 本书设计的药膳月子汤以一般人能吃能喝为主，各种体质妈咪都可食用。
- 本书中的姜片有爆香或直接入汤煮两种方式。姜片煮过后燥性更强，体质较冷的妈咪，可用爆香的方式；体质燥热的妈咪，则可放入汤中煮，依个人体质做弹性运用。
- 本书设计的月子汤分量都是1天的分量为主，可依个人的食量分成1～3次食用。
- 传统月子饮食是不吃盐的，但少量的盐分可以增加美味及其功效，读者可自行斟酌是否加入。

目 录

Contents

准备篇 新妈咪坐月子要知道的事

坐月子产后第一周 Part 1

坐月子产后第二周 Part 2

Part 3 坐月子产后第三周至满月

Part 4 进入哺乳期的新妈咪

帮助新妈咪发奶的12道养生药膳汤与粥品 / 116

帮助新妈咪发奶的10道养生药膳粥与甜品汤 / 128

帮助新妈咪发奶的5道养生饮品 / 136

准备篇
新妈咪坐月子要知道的事

调理重点

产后体力消耗最多时，往往也是人体吸收食物、药物精华，改善身体的最佳时机。坐月子期间，通过药膳，补充体内所需的“阴阳气血”，可使五脏六腑恢复到最佳的状态，维持健美体态，而原有的宿疾也可获得改善或治愈。

饮食原则

- 根据个人体质进补，着重身体的阴阳平衡及强化五脏六腑。
- 虚冷的妈咪，以温补气血为主；燥热体质的妈咪，则应加强凉润滋补的药膳，改善上火反应。
- 选择食物以属性“平和”“温暖”“凉润”为主，三者要均衡摄取。
- 摄取足够的纤维质。
- 饮食烹调方式要营养而不油腻。

为什么要坐月子

怀孕期间的生理变化

大部分的准妈咪会因为个人体质的不同，产生种种的不舒服反应，只有极少数的孕妇没有异常症状，以下针对不同孕期的反应详述如下：

第一孕期

在怀孕初期，因甲状腺素、黄体素、雌性激素、人类胎盘催乳素及泌乳素等荷尔蒙分泌增加，使得心脏输出血量增加，子宫开始变大，压迫膀胱，使其容量变少，因而可能产生心跳变快、体温升高、头晕、疲倦、睡眠品质不佳、血压降低、胃口不佳、口味改变、不喜油腻、恶心干呕、呕吐反酸水、喜爱酸食、频尿、乳腺增生、乳房胀大肿痛、乳头抽痛等症状，乳头、乳晕及周围皮肤因色素沉着而开始变深。

第二孕期

到了怀孕中期，因黄体素分泌增加，减低胃肠道的蠕动，而迅速变大的子宫，向上压迫横膈膜，改变食管下扩约肌的位置，因此易引起胃食道逆流、容易饱胀、心窝及胸口烧灼感、便秘等肠胃不适症。子宫压迫下腔静脉血液的回流，导致心输出量变少，造成姿势性低血压；当血浆与血球的比例产生变化，造成血容比下降，则为生理性贫血，此时逐渐变大的乳房，可能会分泌出少量的乳汁。

从怀孕开始，母体为了给胎儿提供优质与安全的生长环境，产生了全身的生理变化，包含循环、呼吸、生殖、消化、泌尿及皮肤等系统。当宝宝出生后，就是妈咪修复身体的黄金时期。

第三孕期

进入妊娠后期，准妈咪体重增加约12～15千克，此时除了行动不灵活外，还容易引起腰背酸痛及睡眠障碍。此时，子宫愈来愈大，约增加20倍左右，严重者会压迫到胸腔，出现呼吸气短、呼吸加速等障碍。子宫向下压迫腹腔，使腹压变大，静脉回流更加困难，孕妇开始出现四肢浮肿、便秘及痔疮等不适症。此时若腹部肌肉韧性不佳，其中的纤维性结缔组织断裂就形成妊娠纹。

孕妇的钙质若补充不足，血中钙质过低，容易造成小腿抽筋。在皮肤方面，除了乳头、乳晕、腹中线及阴部等处色泽加深外，脸上的孕斑、手掌红斑及蜘蛛痣，也是常见的变化。

而贫血、怕热、出汗多、焦虑、失眠、高血压、干眼症、视力下降、听力减退、过敏性鼻炎、流鼻血、牙龈发炎、甲状腺肥大、手指麻木、腰酸背痛、坐骨神经痛、肾脏增大、输尿管变粗、膀胱输尿管逆流、尿少、尿蛋白、尿道感染、阴道分泌物增多等症状，则会出现在部分孕妇身上。

以上这些全身性负担加重的变化，
大部分在分娩后会逐渐改善，大约需要6周，才能完全恢复。

坐月子的目的

产妇在自然生产过程中，平均约需14～16小时才生下小宝贝。如果是第一胎，产程可能超过24小时。在分娩期间，准妈妈不仅必须忍受子宫收缩的阵痛，在生产后期，更需要足够的体力才能顺利产下胎儿。所以当胎儿呱呱落地的刹那，母体的精神、元气、血液与体液也已消耗殆尽，也就是说新妈妈产后会十分虚弱。

当然，我们身体本就有良好的修复机制，当体力消耗最多时，也是人体吸收食物、药物精华，改善身体的最佳时机。因此通过药膳，补充体内所需的“阴阳气血”，借此调整体质，可使内脏器官及生理功能恢复正常，维持健美体态，也可去除不好的病气，改善怀孕前就有的皮肤过敏、成人痘、鼻窦炎、高血压、痔疮、痛风等宿疾，重新获得健康。

坐对月子的好处

若能在坐月子期间，根据体质调养得当，不仅可使五脏六腑迅速恢复到产前的状态，而且原有的宿疾也可获得改善或治愈。相对地，若缺乏充分的休养，没有根据体质服用药膳，或没有忌嘴观念，无法及时把握住这段黄金修复期，不仅健康恢复缓慢，而且无法提供优质母乳。这些产后的生理变化，将成为日后慢性病的病灶。

根据传统观念，坐月子期间必须大量进补，因此在笔者的门诊中，不乏一些因未根据体质调理而一味进补，结果尚未坐完月子，就药膳热补的病例。常见的有皮肤过敏、脸冒痘痘、血压升高、痔疮，甚至还有痛风等热证。因此，产前了解妈咪的体质，才是坐好月子正确的思路。

正统古法怎么坐月子

依照正统的古书方式坐月子，产后补身必须根据个人体质做调整，着重在身体的阴阳平衡及强化五脏六腑。体质虚冷的妈咪，应当热补，并补气血；体质燥热的妈咪，则应加强凉润滋补的药膳，来改善上火反应；有代谢症候群的妈咪，还需酌加促进代谢的中药，来维持健康。

在坐月子期间，新妈咪因每个阶段身体生理变化及脏腑复原程度上的不同，调养的方式也不同，因而分成产后第一周、产后第二周、产后第三周至满月，按阶段性方式进补。

产后第一周气血大虚，因恶露尚未排净，且肠胃功能未恢复，所以以排除恶露、恢复子宫机能为主。

到了第二周，消化功能稍微恢复，但仍需看护脾胃，可根据产妇体质，开始调养气血，此时乳腺应已畅通，而新生儿的胃口也逐渐变大，因此促进母乳分泌，也是本阶段的重点。

第三周以后，消化功能已恢复正常，可逐渐增加肉类的摄取量，吸收各种食物的营养，强化五脏六腑，调养虚弱体质。

坐月子的天数

自然生产的传统月子是以30天为主，更讲究的是坐到40天，而在中医妇产科学上，产后分为新产期与产褥期。分娩后7天内为“新产期”；从第2周到第8周，待到母亲恢复到怀孕前的生理状态，称为“产褥期”。产后月子要坐几天，因产妇体质强弱及是否产生并发症而增减。一般而言，平均为6周，但身体虚弱者甚至需要3个月才能恢复健康，这些时间是从胎儿一生下就开始计算的。

除此之外，坐月子的调理方式应注意。在前7天的新产期，应以促进子宫恶露排净为主，等到进入产褥期后，再正式进入调整体质的进补期。

小产也要坐月子

小产或人工流产的妇女也需要坐小月子，使子宫恢复正常功能，为下次怀孕

做准备。至于坐小月子的天数，会依怀孕时间的长短略有不同，都是先服5剂生化汤，再依各自天数食用本书的月子汤。怀孕3个月内，需服15天的药膳月子汤；6个月内，需服20天；而6个月以上，则需服30天。

如何判断是否坐好月子

至于很多妈妈口中常说的“没坐好月子”该如何判断呢？是原本没有的不舒服症状，在坐月子期间或是坐完月子却会出现？或是怀孕有的不舒适症状，在坐月子期间或是坐完月子却还持续存在？一般来说，腰酸背痛、眼睛酸涩、烦躁怕热、出汗过多、失眠、怕冷或手脚冰冷等，都是月子没有坐好的表现。

你坐月子食补上火了吗

- □身体发热
- □异常出汗
- □心烦气躁
- □失眠
- □头痛头胀
- □眼睛红痒
- □口臭或口苦而腻
- □口干口渴
- □胸肋胀闷
- □心跳过快
- □奶水变少
- □小便量少，深黄色
- □大便干硬或黏腻味臭
- □皮肤干燥
- □肛裂出血
- □脱屑红痒
- □肿胀热痛
- □湿疹脓疱

注：可借由此表测试是否有上火。在坐月子期间，可以每周测试一次，只要出现2个症状即表示上火。

for Baby 给宝贝爱的叮咛

1 自母体分娩后的胎儿称为新生儿，到满月前的一个月为新生儿期。此时宝贝刚与母亲分离，身体脆弱、身体功能尚未完成发育，对外界的适应力不佳，以消化障碍、先天性疾病、分娩时受伤、皮肤病及感染等病为多见，常出现吐奶、肠胀气、皮肤湿疹、脑性麻痹等。所以适当喂食、保暖及脐带的清洁，是避免生病的必要条件。

解胎毒水

一般在出生后，大多数长辈会到中药房买解胎毒药粉，试着解除新生儿胎毒，我在此提供安全又天然的解毒水，以免给宝贝误服重金属而不自知。以下的解毒水食用方法都是以纱布取汁，让新生儿可以常常吸吮，或是过滤取汁直接滴入新生儿口中。

正常宝宝

↓↓↓

以黑豆1.5钱、生甘草1钱，加1碗水，浸泡半小时，大火煮滚转小火，熬煮至剩1/4碗的解毒水。

湿疹频发作的宝宝

↓↓↓

以薏仁3钱、金银花1钱，加1碗水，浸泡半小时，大火煮滚转小火，熬煮至剩1/4碗的解毒水。

湿疹严重的宝宝

↓↓↓

以绿豆1大匙、薏仁5钱、黄连1钱，加1碗水，浸泡水约3小时，过滤取汁。

2 满月后至一周岁为婴儿期，此阶段宝宝发育迅速，生长速度快，是人生长发育最快速的第一个时期。除了体重及身高成倍数增加外，这个时期也是大脑细胞发育的黄金时期，需要大量营养以供利用，但因消化功能未完全成熟，易引起腹泻、腹胀、恶心呕吐、腹痛、便秘等消化不良症状；出生6个月后，来自母体的抗体已逐渐消失，而本身免疫功能未成熟，所以是呼吸系统疾病的高发时期，常会有感冒、过敏、发烧、咳嗽、支气管炎及肺炎等病症。

坐月子期间的身心变化

新妈咪身体上的变化

子宫变化

- 子宫恢复过程：1天下降1厘米 → 10天回到盆腔→1个月完全恢复
- 恶露颜色变化：鲜红色（产后1～3天）→ 褐色（产后4～9天）→ 白色（产后10～28天）

胎儿出生后，新妈咪身体的修复从子宫收缩开始，产后1小时左右，子宫就开始下降到肚脐处，之后每天下降1厘米，到了第10天，收缩好的子宫就回到盆腔，但仍需再经1个月，才会完全恢复。

另外，从阴道排出的恶露情况，是子宫复旧与否的重要指标。所谓“恶露”，包括脱落的子宫黏膜、淤血及组织液等。一般而言，就如同排出经血一般，但血量较多；产后前2～3天血量多、颜色鲜红，而后逐渐变少，转为褐色，10天以后变为白色分泌物，大约持续2～4周。

恶露是产后理应排出的废物，若排出不顺畅，会引起下腹疼痛、胸胁闷胀、头晕等症状，严重的引起子宫或盆腔发炎。产后若服用生化汤，就能改善下腹不适，缩短恶露排净的时间。部分产妇因身体虚弱，子宫恢复不佳，或胎盘没有剥离干净，造成流血不止，甚至流血超过4周以上，因此产后第一周不应急于进补，而应注意恶露是否正常排出，伤口是否发炎，逐渐恢复正常后，再开始调理药膳。

会阴伤口

为避免胎儿出生引起阴道严重的撕裂，医师会施行会阴切开术，待生产后再缝合伤口，产妇只需注意个人卫生，不要泡澡，大约经过4～6周，会阴伤口就会自动愈合了。

体重变化

体重的变化往往是新妈咪最在乎的问题。坐月子之后，只要积极运动及饮食控

生孩子对女人而言是件大事，不管是在身体或是心理上都会产生极大的改变，让我们来看看到底会产生什么样的变化，及坐月子期间需要特别注意的事项。

制，均可恢复产前身材。在产后满月前，饮食宜清淡，但仍需顾及营养，尤其是喂母乳的妈妈，不可过度节食，以免影响奶水质量。

其他变化

排便不顺畅、排尿困难及乳房肿胀疼痛，会出现在部分新妈咪身上，特别是燥热体质的妈咪。对此，饮食上应以凉润及平补为主，酌加温性食物。排便未正常前，切勿以全酒料理补身，否则容易引起火上加油。

新妈咪心理上的新变化

很多新妈咪产后都会变得比较敏感、爱哭，常会为了一些小事或是和宝贝相关的事情掉眼泪。这是很正常的，大概到产后3个月会改善，比较严重的是产后忧郁症。

产后忧郁症

在精神科门诊中，女性焦虑症病患数量比较多，几乎为男性的两倍，而在妊娠后期，准妈妈普遍开始出现焦虑紧张不安的情绪，从而引起睡眠障碍，这是产后忧郁症的前兆。调查中发现，约有10%~20%的产妇，有产后忧郁症的倾向。病情轻微者，自我调适后不药而愈；严重者病程持续一年以上，甚至会产生自

杀轻生或杀婴的念头，家属不可不防，应积极就医治疗。

产生的原因

产后忧郁症的发病原因尚未十分明了，一般认为，影响因素包括内分泌变化、心理失衡、家庭及社会压力等。

在怀孕过程中，准妈妈往往是备受家人呵护的“大宝贝”。宝宝出生后，大家的焦点都转移至婴儿身上，原来的被呵护者成为照顾婴儿的主角，此时若新妈咪身体疲惫，角色尚未转换，心理尚未调适，就容易出现极大的失落感，情绪激动或容易哭泣，有时心情低落、郁郁寡欢，会产生不知如何照顾婴儿的焦虑恐慌，缺乏喂养婴儿的自信心。若未能及时纾解心中郁闷，就会引起轻重不等的生理症状，常见的如：疲劳无力、食欲减退、体重减轻或暴饮暴食、体重增加、头部胀痛、胸闷不舒、爱叹气、呼吸不顺畅、筋骨酸痛、不易入眠、半夜醒后无法再入睡、睡眠浅易惊醒等症。病情严重者，还会出现躁动易怒、惊恐慌乱、怪异的强迫行为、幻听、幻视及妄想等精神病症。

解决方法

发生这样的状况，除了可至妇产科、身心科或心理医生处就医治疗外，家人的精神支持及陪伴也很重要。这段时期亲人可协助照顾婴儿，以减轻新妈咪的辛劳，让其得到充分休息，体力早日恢复，改善焦躁不安的情绪。

至于有自杀倾向的新妈咪，家人应时时注意其精神状态，为安全起见，不可让母子有单独相处的机会。可让新妈咪至空气流通且不会受风寒的环境下散步，放松心情，促进全身气血循环，改善部分生理状况；欣赏柔和的音乐，也可提升抗压指数。如需搭配药物治疗，药物会渗入母乳中，则必须停止母乳喂养。

这样坐月子最正确

古人对坐月子的看法

“产妇七日内毋洗下部。毋梳头以劳力，毋起早以冒风，毋行走以动筋骨。至七日外方可用温水洗下部，尤须防产门进风。月内毋多言，毋劳女工，毋用凉水以洗手足，即温水亦宜少洗。毋受惊恐，毋动怒气，毋过饮食，毋犯房劳，即一百二十日内亦不可劳神劳力。”

“仍慎言语、七情、寒暑、梳头洗足，以百日为度。若气血素弱者，不计日月，否则患手足腰腿酸痛等症，名曰蓐劳，最难治疗。初产时，不可问是男女，恐因言语而泄气，或以爱憎而动气，皆能致病。不可独宿，恐致虚惊。”

——《竹林女科证治》

在坐月子这件事上，中国人的禁忌特别多，而且是一代传一代。但查找中医古书资料，发现很多事情书上并没有说，却一直以讹传讹。故本书特意找出最正统的坐月子方法，让新妈咪有遵循的依据。

1 身体、心理与精神三者兼顾

从古书的叮咛中，我们发现“身体和心灵的休养”对于产妇是很重要的。无论是梳头、多言、行走、洗足、同房等耗用体力、气血受伤的行为，或是独处、悲伤、惊恐、动怒气、过度劳神等情绪失调的反应，都会影响产妇的气血修复，引起手足腰腿酸痛或产后忧郁症等。

2 预防病气入侵

预防病气入侵，如防中暑，毋起早以冒风寒，毋用凉水以洗手足等，则是另一个保健重点。现代社会因科技进步，一些古代无法预防的病症，在现今一般不会出现。另外，现代医学发达，再加上专业优质的产后护理，大大降低了感染的几率，因此，部分禁忌可适当修正。但多数告诫是至理名言仍应遵守，因为有坐月子传统的东方女性，与百无禁忌的西方女性，无论在外貌或内在器官上，都有显著的差异，若你坐好了月子，可以说你已经迈出养生抗衰老的第一步。

3 保持愉快心情

产后气血大虚，若“喜、怒、忧、思、悲、恐、惊”七情反应过度，除了易诱发产后忧郁症外，也会影响其他脏腑的修复。过于喜伤心、过于暴怒伤肝、过于忧虑伤脾、过于悲思伤肺、过于惊恐伤肾，所以过度激动、闷闷不乐或悲伤流泪都应避免。

4 避免性生活

适度的性生活有益身心健康，自然生产的妈咪，产科医师大多会施行会阴切开术，而伤口约需4～6周的修复时间，所以产后6周内最好避免性生活，除了让会阴部伤口顺利复原外，也不会耗伤气血，让子宫好好休养复旧，否则以后可能会诱发下腹酸痛、腹部下坠或子宫脱垂等妇科病。

坐月子这样吃就对了

挑选属性“平和、温性、凉润”的食物

坐月子期间，食物的选择以属性“平和”“温暖”“凉润”为主，三者均衡摄取为宜。“平和”的食物，不寒不燥，具有补血益气、凉润解毒等不同功用，适合所有体质的产妇食用；“温性”的食物，具有温补气血、助阳散寒、改善疲劳、强壮骨骼、增强抵抗力及温暖四肢末梢等功用；“凉润”的食物，具有生津止渴、润肤美颜、改善掉发、使睡眠安稳及促进奶水分泌的功用，所以若能餐餐都食用三种不同属性的优质食物，就可以补充充足的所需营养素，体质将处于平衡状态，就不易生病了。

菜肴可设计成阴阳平衡的餐品，就是每一餐食物中包含三种属性，例如：综合水果盘中有葡萄（平和）、莲雾（凉润）及番石榴（温性）。

进食顺序

平和、温性热食  凉润蔬菜  常温水果

进食时也应注意摄取食物的先后顺序：先吃平和与温暖的热食，吃了约1/5的饭量，给予肠胃温暖的能量后，再吃凉润的蔬菜，饭后10分钟内再吃水果。这种吃法既不伤胃，也能吸收蔬菜水果的精华。若空腹就吃凉性或纤维较粗、难消化的蔬菜水果，寒气入侵，容易产生消化不良的种种症状，常见如打嗝、吐酸水、胃痛胀气、排软便或拉肚子等。

产后进补必须根据个人体质调整。虚冷体质的妈咪应以温补气血为主，燥热体质的妈咪则应加强凉润滋补的药膳；而有高胆固醇、高尿酸、过胖、糖尿病及高血压的妈咪，需酌加促进代谢、稳定血压的中药，来维持健康。

每天吃不同的海鲜及鱼类

部分海鲜及鱼类，如虾、鳗鱼、鲢鱼、鳝鱼、草鱼、白带鱼、墨鱼、章鱼等，虽可补养气血，促进母乳分泌，但天天吃，容易诱发过敏反应。建议每天吃不同的海鲜及鱼类，不仅可获得优质营养，也会降低过敏反应。

摄取足够的纤维质

为预防产后便秘，应多吃纤维质含量丰富的蔬菜、水果，特别是排便不顺畅、容易便秘的妈咪更应多吃此类食物。因蔬菜及水果偏凉，应与温性的食物一起食用，例如，豆芽菜与牛肉、菠菜与胡萝卜、洋葱与番茄。而排便正常，且容易腹泻的妈咪，则不宜大量食用，适量摄取即可。

营养不油腻

饮食应以营养不油腻为原则，不可生食。烹调的食物以水煮、清蒸、红烧、清炖或中小火微煎为佳，以免上火，也不太油腻。

坐月子期间的最佳食物

一般体质

① 鲫鱼

性味甘、平，具有健脾开胃、调养五脏、利水消肿、通畅乳汁等功效，可强化消化功能、消除水肿及促进奶水分泌，很适合哺乳期妈咪食用。

② 乌骨鸡

性味甘、平，具有补气养血、清凉解热、强肝补肾等功效。所含氨基酸、β-胡萝卜素、维生素B族、维生素C、维生素E及微量元素，比普通鸡肉含量高，是产后缓解疲劳、强筋壮骨、增强体力的清补良品。

③ 黑木耳

性味甘、平，具有补血益气、润肺养胃及改善出血等功效。含丰富胶质，可促进造血功能，减少油脂吸收。容易腹泻者不要吃太多，或与温性的鸡肉、牛肉、姜丝一同烹调，就可避免腹泻。

本书针对不同体质妈咪找出适合的食材，让新妈咪根据自己的体质挑选食材。以下这些食物所有妈咪都可以吃，只是体质偏虚冷的，可多吃些温性食物；体质偏燥热的，可多吃些凉润食物。

④ 花生

性味甘、平，具有健脾开胃、补气养血、丰胸通乳、润肺化痰及益智健脑等功效，适用于母乳不足、胃口差、容易咳嗽的妈咪食用。其所含蛋白质容易被人体所吸收，但容易上火的妈咪不宜吃炒花生，可改成水煮或蒸熟为宜。

虚冷体质

5 牛肉

性味甘、温，所含优质必需氨基酸的含量是猪肉的两倍，而脂肪含量比猪肉低，具有补气血、补脾肾、强壮筋骨等功效，可温暖四肢、减少掉发、强化骨骼。瘦牛肉是血脂过高、糖尿病及动脉硬化产妇的养生肉品，但食用时不宜过量。

6 海参

性味甘、咸、温，为高蛋白、高微量元素、低脂肪的温补海鲜，功用与人参相似，故称为海参，具有生津止渴、益气补肾、强筋壮骨及滋润退火等功效。可以增强体力、滋润皮肤、强化关节、促进奶水分泌。

7 鳝鱼

性味甘、温，为高蛋白、低脂肪的温补肉品，是坐月子期间常吃的补品。具有营养骨质、去风寒湿、活血止痛的功效，适合四肢容易酸痛、常觉得精神不佳、腰背酸软无力等症的虚冷体质妈咪食用。本品还有调理血糖的作用，是血脂过高及糖尿病妈咪的养生肉品。

燥热体质

8 莲藕

新鲜莲藕性甘寒，有清热退火、生津止渴、镇定止血、消散淤血等功效，煮熟后变为甘温的补品，有健脾养胃、补血缓泻、抒解郁闷等功效。本品因铁质含量丰富，很适合产后妈咪食用，特别是心情郁闷、消化不良、容易上火的妈咪。

9 豆腐

性味甘、凉，具有补气通乳、生津止渴、滋润身体、保肝解毒、清热安神等效果，可增强体力、润肤美颜、促进乳汁分泌。

10 白毛鸭

性味甘、凉，为滋润清热、解毒退火的凉补妙品，具有生津止渴、清虚火、滋润肠道、促进排便、改善浮肿等功效，特别适用于常感觉口干口渴、皮肤干燥、排便不顺等症的燥热体质妈咪食用。

注：妈咪的体质可参见附录“认识自己的体质”。

坐月子期间的最佳蔬果

虚冷体质

① 胡萝卜

性味甘、辛、微温，具有补血明目、调养五脏、促进消化及保肝补肾等功效，可以滋润皮肤及保护眼睛。营养成分高，故有小人参的别名。

② 木瓜

性味温、甘、微酸，具有健脾胃、去风湿、改善疼痛及丰胸通乳等功效，可促进母乳分泌、强化消化及肌肉功能。

③ 洋葱

性味辛、温，具有健脾开胃、驱除风寒、消除水肿等功效，还有御寒、增强抵抗力、促进食欲及水分代谢的作用。

传统观念觉得蔬菜、水果太寒了，月子期间要少吃，这种认知其实是不对的。只要根据产妇个人体质，选对蔬果，仍可以享用蔬果的美味，补充足够的纤维质。

④ 桃

性味温、甘、酸，具有强心补肺、养血保肝、生津止渴、利尿消肿及润肠通便等功效。含丰富铁质，可增强造血功能、健胃整肠、营养头发、改善疲劳及美颜润肤。

一般体质

5 高丽菜

性味甘甜、平，有强筋壮骨、调理五脏、滋阴明目、健胃整肠、增强消化力及促进肠道蠕动等作用，其所含的钙质容易被人体吸收，可强化骨骼及促进消化功能。

6 葡萄

性味甘、酸、平，具有补肾气、强筋骨、补血安神、健运脾胃、生津止渴、利尿去湿等功效，是传统月子期间常吃的水果之一。脱水成葡萄干后，所含糖分与铁质都有增加，成为温性补品，特别适合腰酸背痛、容易浮肿、疲劳无力的虚冷体质妈咪食用。

燥热体质

⑦ 苹果

性味甘、酸、凉，可强壮心脏、润肺止咳、生津止渴、健胃整肠、增加食欲及促进胃肠蠕动。同时具有止泻、促进排便的功能。腹泻时应喝苹果汁，排便不顺畅应吃果肉，利用所含果胶及纤维质，加强肠道蠕动，达到通便的效果。

⑧ 草莓

性味酸、甘、凉，具有生津止渴、健脾开胃、清热保肝、补血及利尿止泻的功效，可润肤美颜、促进消化及代谢。

⑨ 花椰菜

性味甘甜、凉润，有白、绿两种。均具有营养骨骼及牙齿、促进消化吸收、补血止血等功效，可强化全身造血功能。

⑩ 金针菇

性味甘、凉，具有抒解郁闷、宁心安神、补养气血等功效，可稳定情绪及强健骨骼。产后情绪不稳定的妈咪可多吃。

注：妈咪的体质可参见附录“认识自己的体质”。

坐月子最好不要吃的食物

发物

助火、生痰、影响气血循环，诱发皮肤过敏、成人痘、鼻窦炎、高血压、痔疮、酸痛及消化不良等宿疾发作的食品即为发物。这些发物在坐月子期间每周适量食用，不仅可吸收特有的营养精华，也不致发病。但若时常食用，会使上述的旧疾复发或恶化。

★这些食物要少吃★

菠萝、竹笋、芒果、蘑菇、草菇、鹅肉、毛豆、香菜、雪里红、南瓜、白带鱼、带壳海鲜类、糯米。

过度油腻

肉类宜选择瘦肉，以免烹饪时吸收不良油脂，而且也要避免使用动物油烹调，应以植物油为首选（椰子油除外）。这样不仅可使新妈咪维持身材，也可避免引发肥胖、口干发热、皮肤过敏、掉头发、消化不良等症。

燥热食物

火热入侵，除会使妈咪心烦气躁外，还容易引起流汗过度、心跳加快、便秘、恶露不净、眼睛出血、尿血等出血反应。

★这些食物不能吃★

咖啡、咖喱、酒、榴莲、胡椒、辣椒、油炸食品、煎烤物、麻辣火锅、市售纯酒麻油鸡、市售姜母鸭、市售羊肉。

注：忌口的市售补品多半因为里面含有中药材，且中药的成分来源不明。

中医古书认为，产后要比怀孕时更应注意饮食禁忌。产妇往往流失大量血液与元气，再加上脾胃消化功能尚未恢复正常，所以要特别小心，以免影响身体健康。

过咸食物

传统说法，坐月子期间不能吃盐，而盐的性味咸、辛、寒，具有清凉泻热、滋阴润燥、强心补肾、定痛止痒、促进大小便排出等功效。适量使用，除增加食物美味外，还可作为药引子，加补心气、益肾壮骨，故本书的药膳月子汤都有加少许盐分，读者可自行斟酌是否添加。但要注意，千万不能吃过咸食物，否则会引起口干口渴、乳汁变少及损伤呼吸系统。

寒冷食物

寒气入侵，会使血液循环不顺畅，影响乳汁分泌，引发新妈咪筋骨酸痛、四肢冰冷、怕风畏寒、容易感冒、消化不良、身体浮肿、胃痛及频尿等寒症。

★这些食物不能吃★

未煮熟的生食、凉茶、冷水、冰饮、西瓜、柚子、葡萄柚、椰子、橘子、杨桃、柿子、香蕉、芒果、奇异果、牛蒡、大白菜、黄瓜、苦瓜、空心菜、竹笋、西洋菜、绿豆芽、荸荠、白砂糖、紫菜、海带、蛤蜊、蚌类、螃蟹、鸭蛋、豆豉等。

冰水

冰水属性甘、寒，绝非燥热之品，具有清热消暑、降火气、解除酒精热毒的功效，是古人针对高烧昏迷、中暑休克或酒醉不醒的急救品。气血大虚的孕妇，绝对不能食用。《本草纲目》记载：“夏暑盛热食冰，应与气候相反，便非宜人，诚恐入腹冷热相激，却致诸疾也。”中医产科书中也告诫我们：“凡妇人因暑月产乳，取凉太多，得风冷腹中积聚，百疾竞起，迄至于死，百方疗不能瘥。”吃冰冷的食物一定会使身体变寒，甚至引起其他病症。

吃冰淇淋或其他甜品，会产生口干舌燥的感觉。这不是因为上火，而是食物太甜，需要补充水分。

产气食物

产气食物吃多了容易胀气，为减轻肠胃负担，使消化道发挥正常功能，坐月子期间不宜吃太多。

★这些食物要少吃★

面包、地瓜、马铃薯、洋葱、青椒、气泡饮料、豆类、牛奶、汽水。

注：本书食谱的使用分量均未过量，若产妇的肠胃功能差、容易胀气，建议前2周尽量少吃，之后可减量。

酸涩食物

带有酸味的食物，具有柔软筋脉及保护肝脏的功效，若食用过量反而会伤害牙齿，引起筋骨疼痛不适，尤其是有消化性溃疡的产妇，不宜空腹食用。古书《本草衍义》提到“小儿尤不可多食（杏），多致疮痈及上膈热，产妇尤忌之。”另《随息居饮食谱》中亦提及“（酸梅）多食损齿，生痰助火……及妇女经期，产前产后，痧痘后并忌之。”所以味酸的杏及酸梅在坐月子期间是不宜食用的。

剖腹产妈咪饮食重点

剖腹产与自然生产的饮食重点是相同的，只是第一周严禁喝酒，甚至连烹调肉品中也不可以加，尽量摄取平和食物；切勿未经中医师指示，吃容易上火，使伤口出血或感染发炎的燥热汤品。

喝咖啡、茶及酒类

含咖啡因及酒精的刺激性饮料，不仅会使产妇心跳加快、心情亢奋或失眠，还可能影响母乳喂养期的宝宝，因此只要在哺乳期间，新妈咪都应避免饮用。月子期间常会用到的米酒，因为是用在料理上，可适量使用（例如，炖1500毫升的肉汤，约加1～2大匙）。

新妈咪最想知道的“饮食Q&A”

Q1 产后吃的补品都要加大量米酒或全酒料理吗?

据《本草备要》记载，酒是辛、苦、甘、温的药物，是常用的药引子，少量饮用，能养血行气、提神御寒、温暖全身、消除疲劳，尤其是属于酿造酒的葡萄酒、水果酒、绍兴酒等，因含维生素、矿物质及多种氨基酸，在汤品中添加2～3汤匙，不仅可提升美味口感，更能使药性运行全身，增强温补疗效。但若过量饮用营养价值低的蒸馏酒，如米酒、高粱酒、白兰地等，烹调过程中挥发不完全，酒精残留体内，不仅引起妈咪火气大，酒毒也会经由母乳直接进入婴儿体内，影响宝贝的生长发育，因此仅可适量，不可大量或全酒料理。

这里提供坐月子期间可用的“养生料理酒”，有阴阳双补、补气养血、强筋壮骨的效果，而且添加清凉滋润、解酒毒的药材，可减少酒精残留体内的几率，坐月子时可以取代市售米酒使用。

★食材：桑葚1两、女贞子1两、黄精1两、天冬1两、葛根1两、黑豆1两、白扁豆1两、党参5钱、当归5钱、淮山5钱、杜仲5钱、续断5钱、炙甘草5钱、旱莲草5钱、茉莉花5钱、玫瑰花5钱、丹参3钱、绍兴酒及米酒头各2瓶。

★做法：全部药材切碎，加入酒中，浸泡2个月，过滤后即为烹调料理酒。

产后吃的补品都要加大量米酒或全酒料理吗？麻油和苦茶油月子期间如何使用？坐月子期间如何喝水？……这些新妈咪最想知道的饮食问题，本书将详细解答。

Q2 麻油与苦茶油月子期间如何使用？

麻油和苦茶油是坐月子期间常用的料理油，也是中药材的一种，各有不同的用途及适合的妈咪，详叙如下：

麻油是榨取芝麻而来的油，芝麻分为白芝麻与黑芝麻，所以麻油就分为白麻油与黑麻油二种，其中白麻油比较不常见，相对也不好买，专门卖麻油的店里才有。

黑芝麻属性甘温，具有滋补五脏、增强体力、营养筋骨、黑头发、促进排便与子宫收缩等功效，适用于产后虚弱无力、奶水不足、肠胃蠕动无力、排便不顺畅、身体酸痛等寒冷体质的妈咪。

白芝麻性味甘凉，具有清凉退热、滋润肌肤、润肠通便、促进血液循环等功效，适用于产后口干口渴、奶水不足、皮肤干燥、大便干燥、便秘便血等燥热体质的妈咪。

苦茶油是压榨萃取油茶种子而得的油，属性甘平，有凉润皮肤、养颜美容、去湿止痒、清热解毒、润肠通便等功效，古书记载："诸油惟此最轻清，故诸病不忌。"苦茶油是坐月子的优质养生料理油，虽然属性平和，但有凉润清热的功效，补身而不上火，适用于所有体质的妈咪。

Q3 坐月子期间可不可以喝水?

坐月子可不可以喝水？这是很多将要坐月子的准妈妈的常见疑问，《女科秘要》记载，坐月子期间不能喝冷水，但可以喝温热的水，因为水的属性甘平，可以补充体液、滋阴解渴，适量饮用，能让妈妈分泌充足的母乳，改善烦躁症状。若能饮用热水，《本草备要》称为“百沸汤”，可以宣发阳气，行经络，预防风冷寒气入侵。喝热水，绝对有益健康，还可以提升阳气，成为产妇的保护伞。

除水外，还可以喝“黄芪桑葚月子水”，可以补气养血、强筋壮骨、美颜润肤、增强体力与抵抗力、促进奶水分泌。具体做法如下：

★食材：桂圆5钱、黄芪3钱、桑葚3钱、麦冬3钱、杜仲叶1.5钱、通草1钱（1～2天份）。

★做法：所有食材分为3份，每次取1份装入卤包袋中，放于保温杯中，加300毫升的滚水冲泡，焖约5分钟，调味即可饮用，可回冲1次。

Q4 炖汤品都要加大量姜块吗？

姜分为生姜与老姜两种，生姜性味辛温，老姜则热性更强，具有发汗散寒、温补脾肺、止呕止吐、祛痰止咳、温暖四肢等功效，与寒凉的食物一同烹调，可避免寒气入侵。例如，姜母鸭、蛤蜊姜汤及姜丝炒白菜等。但若用量过大，或与温热性食物一同烹调，如十全大补鸡、红烧牛肉等，则会引起上火反应，甚至诱发便秘、痔疮、失眠、奶水变少、高血压、皮肤过敏、心跳快及口干口渴等火热疾病的发作。所以，有上火症状的妈咪使用时要注意，而一般体质的妈咪，建议1天不要用超过2～3大块，否则很容易引起上火反应，造成子宫出血过多、子宫感染。

Q5 做完月子多久可以开始喝饮料、冰品？

无论谁时常饮用冷饮及冰品，都将造成寒冷体质，所以除了在坐月子期间完全不能吃外，坐完月子后，三个月内仍不宜多吃；三个月以后，想吃的时候，应选择中午到太阳下山前的这段温暖时间，借由大地的温热来温补阳气。而要吃冰品之前，先吃温暖的食物来提升阳气；吃完冰品之后，再食用温暖的食物或饮料来中和寒气，如桂圆红枣茶、金桔桂花茶等，如此就可减少寒湿气入侵，但月经期间及虚寒体质产妇仍应避免喝冷饮、吃冰品。

传统坐月子的禁忌破解

不能洗澡?

真相解说 事实上，古人并未告诫坐月子期间都不能洗澡，只说产后7日内不要清洗会阴部，不要用冷水洗手足，不可泡澡。一来是怕病菌感染，伤口发炎；二来是怕室温太冷，寒气入侵，影响伤口愈合，引发妇科后遗症。

新妈咪可以这样做

现代妈咪只要善用暖器设备，将浴室及经过之处的温度控制于27℃左右，再用热水清洗身体，不仅可保持清洁、预防感染，还能预防寒湿气入侵。而且中医认为热水具有驱风寒，温补身体的功效，若能在洗澡前后，喝杯抗寒茶饮，就百密而无一疏了。

至于会阴部，除了定时更换卫生棉外，每次大小便后固定清洗，以煮沸后的温水，从阴道口向肛门口，即由前往后，冲洗干净，保持干爽为宜。

［抗寒茶饮］

★食材：桂圆5钱、泽兰1钱、黄芪1钱、防风1钱（1天份）。

★做法：所有食材装入卤包袋中，放于保温杯中，加300毫升的滚水冲泡，焖约5分钟，洗澡前10分钟饮用即可。

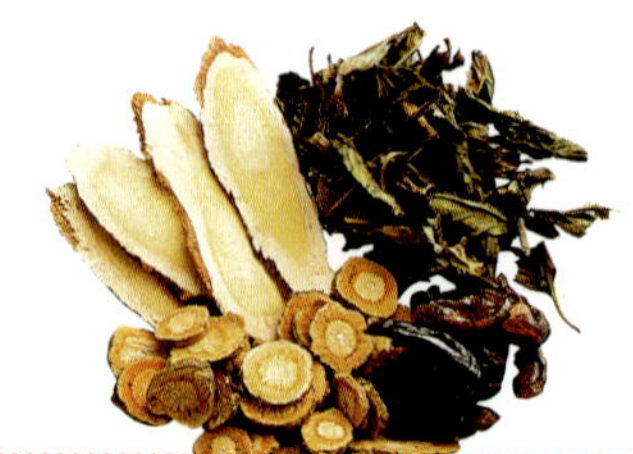

很多婆婆妈妈都会告诫媳妇或女儿坐月子的禁忌，但观念是否正确有待商榷。部分似是而非的要求，不仅无法养生，还可能使原有的病情恶化，甚至为日后慢性病种下病因。生活起居的禁忌，也应以医师的嘱咐为宜，千万不要道听途说，以免成为无辜的受害者。

只能卧床休息?

《黄帝内经》记载：“五劳所伤，久视伤血，久卧伤气，久坐伤肉，久立伤骨，久行伤筋，是谓五劳所伤。”所以久视、久行、久站及久蹲，不仅耗气伤血、伤筋动骨，也容易诱发子宫脱垂及漏尿后遗症。

新妈咪可以这样做

生产后本应适当卧床休息，2～3天后，身体没有特殊不适可下床活动，以免躺太久伤元气，但无论是行走、站立或蹲下均不宜过久。自然生产的妈咪产后3～5天，无强烈不适或出血现象，就可开始进行产后体操及阴道骨盆收缩运动，有助于腹部、子宫收缩及会阴部伤口愈合。剖腹生产妈咪约1～2周后，伤口逐渐愈合时，才可以逐渐开始活动。

不可接触冷水?

真相解说

接触冷水或冰水，容易引起寒症，所以坐月子期间尽量不要碰冰水或者冷水。

新妈咪可以这样做

只要用温热的水就可以，但若妈咪体质十分虚弱、抵抗力差，可改用煮过的温热水刷牙或洗手，避免病菌感染。

禁忌4 不能洗头?

真相解说 古书倒是没有特别提到洗头这件事，因在古时候的女生头发很长，都是很久才洗一次头，但却要天天整理，所以产后7日内不要梳头，除了会劳心劳力，容更易导致头皮疼痛。

新妈咪可以这样做

↓↓↓

若妈咪生完宝宝后觉得身体虚弱，可利用干洗法清洗头皮；7日之后，再用温热水洗头，但需在浴室里完全吹干头发，才能离开浴室。洗头前后可喝杯紫苏茶，预防寒气入侵体内。

[紫苏茶]

★食材：葛根1.5钱、紫苏1钱、泽兰1钱、桂枝1钱、何首乌1钱（1天份）。

★做法：所有食材装入卤包袋中，放于保温杯中，加300毫升的滚水冲泡，焖约5分钟，洗头前10分钟饮用。

禁忌5 不能外出?

真相解说 古人说：“产妇七日内，毋行走以动筋骨。”所以第一周最好勿出门，以免筋骨受伤或风寒酷暑入侵。

新妈咪可以这样做

尽量减少外出机会，必要或非得出门时，不可太早出门。尤其是冬天清晨，温度太低时，不可出门；待中午后，温度回升再出门。但一定要做好保护措施，如穿戴帽子、口罩、手套、外衣、袜子等，可避免皮肤直接吹风受寒。

你受寒了吗?

- 头痛头重
- 眩晕快要昏倒
- 身体肿胀
- 怕冷，四肢冰冷
- 全身酸痛
- 心跳慢
- 鼻塞涕清
- 喉咙痒，想咳嗽
- 咳嗽痰白
- 湿疹不红
- 关节肿痛
- 水肿
- 恶心呕吐
- 胃痛腹痛
- 便软次数多
- 尿频色清量多，并夜尿或尿少
- 白带清稀

注：可借由此表测试是否有受寒，在坐月子期间，可以每周测试一次，只要出现2个符合症状即表示受寒。

新妈咪最想知道的“生活起居Q&A”

Q1 只要坐完月子就可以回到原来的生活状态吗?

在细心呵护的坐月子期间，产妇的健康逐日恢复。坐完月子后，可依自我体能状况，渐渐恢复正常的活动量，但在3个月内，尚属于坐月子的修复期，不要有立刻提重物、走太久、过度劳累、用眼过度等超出身体负荷的运动或劳动，否则会耗伤气血，使刚复原的组织器官再度受伤。

Q2 产后为什么要用束腹带?生完多久可以穿塑身衣?

新妈咪生产后因为腹部肌肉松垮无力，使用束腹带，不仅可以提升腹部肌肉对子宫的支撑力，帮助子宫收缩复旧，也具有修饰身材的效果，但使用时不可束太紧，以免腹腔压力太大而引起子宫下垂。

一般而言，自然产妇若复原良好，第二天就可以使用；而剖腹产一周后，伤口已经愈合，才可开始使用。束腹带分为传统缠绕式和松紧带式，差别在于缠绕式使用时较不方便，但松紧可以调整；松紧带式则使用方便，但松紧度固定，较不易控制。

做完月子后，无需再使用束腹带，可以开始穿塑身衣。

产后需要使用束腰带吗？生完宝宝后“爱爱”疼痛及干涩该怎么办？夏天坐月子可以吹冷气吗？剖腹产的伤口该怎么护理？……这些新妈妈最想知道的生活起居问题，本小节将一一为您作答。

Q3 生完后“爱爱”疼痛及干涩情况多久会改善？

经过坐月子期间的调理，新妈咪生理与心理均已恢复健康，可尝试慢慢恢复性生活。但若妈咪体质虚弱，身心均未恢复正常，应休养3个月后，再恢复性生活。

有些妈咪虽然经医师检查，伤口已痊愈，但同房时阴道仍觉干涩疼痛，因而性趣缺乏，此时可借由专业西医或中医找出原因，开处方，改善不适症状。此外，干燥体质的产妇，因阴道干涩疼痛而不想同房，若能饮用清凉滋润的茶饮，可逐渐恢复幸福生活。

[黄精性福茶]

★食材：蜜黄精5钱、女贞子3钱、菟丝子3钱、何首乌2钱、丹参1钱、冰糖适量（1～2天份）。

★做法：所有食材分为2份，每次取1份装入卤包袋中，放于保温杯中，加300毫升的滚水冲泡，焖约5分钟，时时饮用，可回冲1次。

★叮咛：容易腹泻的妈咪加茯苓3钱，以红糖调味；容易便秘者加肉苁蓉3钱，以蜂蜜调味。

Q4 夏天坐月子可以吹冷气吗？

夏天气候炎热，可以开冷气，只要室内温度保持在26℃～27℃，都可利用电风扇或空调加强空气流通而降低室温，但都不可直接吹向妈咪身体，以免筋骨受风寒，引发全身酸痛。此时也可穿着透气的薄长袖、长裤、袜子等，保护身体，以免受到风寒侵袭。

Q5 剖腹产伤口该怎么照顾？

生完无需拆线的妈咪，10天内伤口应保持干净干燥，冲澡时需贴防水胶布，不可碰水。需拆线者，未拆线前伤口要保持干净干燥，冲澡时需贴防水胶布，不可碰水，待7～10天伤口愈合后，再恢复正常清洗。

Q6 坐月子期间可以抱孩子吗？

坐月子期间尽量不要提重物，包含抱宝宝在内，以避免造成子宫下垂及腰酸背痛。如果没有人帮忙，必须自己抱或是很想抱宝宝，可以调整成坐着抱，并在背后准备舒适的坐垫，这样就不会伤到身体。喂母乳除了坐着外，还可以躺着或是侧身来喂。

Q7 坐月子期间受风头痛该怎么办?

坐月子期间若不小心吹到受风寒，出现头痛、头胀，可用姜汤、红糖水、葱白汤等温性饮品来驱除风寒，缓解疼痛。

此外，也可用热毛巾或热敷包放于后颈部，来温暖止痛。若仍无法改善，可用中药茶饮来散寒止痛。

[抗头痛茶饮]

★食材：紫苏1.5钱、川芎1.5钱、葛根1.5钱、荆芥1.5钱、泽兰1钱（1天份）。

★做法：所有食材放入卤包袋中，放于保温杯中，加300毫升的滚水冲泡，焖约5分钟，即可饮用，待不痛即可停服。

Part 1 坐月子产后第一周

调理重点

“排除恶露、恢复子宫机能、修复会阴伤口、调养肠胃、通畅乳腺、促进乳汁分泌、消除水肿、避免发炎”等，是产后第一周药膳月子汤的重点。

饮食原则

- 主食以清淡、易吸收、营养好消化的粥品或鱼汤为主。
- 菜不要一下吃太多。
- 不急着食补及药补，不能吃全酒料理，例如，麻油鸡、十全大补汤等。
- 每天服1剂生化汤，促进恶露排出，加速子宫复原。

产后第一周这样吃

根据古书《女科切要》记载：“妇人产后，如无他症，不必服药，三日之内，但以荆芥炭、益母草、砂糖煎汤，频频与饮，使恶露下尽，自无血晕腹疼之患。切不可饮酒及鸡子牛羊猪肉之类。须以白粥干菜调理，或松江淡鲞蒸熟食之。半月方可食鲜肉，渐渐加增。”“新产饮食最难克化，如赤豆、沙鸡、鸭蛋之类，盖新产暴大下血，脾胃甚弱，最易成病。”

 重点1 主食以鱼汤和粥为主

第一周还在失血及元气未恢复中，再加上脾胃消化功能尚未恢复正常，饮食应以清淡、易消化、营养好吸收的粥品或鱼汤做主食，切勿立即给予大量且不易消化的蛋白质，像鸡肉、猪肉、牛肉等，以免增加肠胃负担，甚至诱发其他疾病。

 重点2 不吃气味重、不消化的食物

还要注意不能吃气味重浊、难消化的食物，例如，糯米食品、豆类、奶酪、竹笋、菠萝、油炸食物等，否则不仅会消化不良，还会使气血不通，循环不顺畅，影响身体的修复。肠胃不好、吃豆类食物容易胀气的产妇，这一周先不要吃；另外，吃薏仁、黑豆、红豆等，建议只喝汤（汤里就有营养成分），可使浮肿消散，但不要吃料，以免增加胃肠负担，影响消化功能。

 重点3 蔬菜不要吃太多

对于蔬菜，第一周适量食用即可，不要一下吃太多，第二周再逐渐增加。比较特殊的是，一般认知中比较冷、不能吃的

产后第一周对新妈咪而言非常关键。饮食得当、滋补得法，能使新妈咪从气血大虚的疲惫状态中迅速走出，加速恶露排尽，促使子宫复原。

产后第一周不能吃酒、麻油吗?

网络上或是医院的卫教单有写“产后第一周不能吃酒和麻油”，这是因为麻油和酒都会促进子宫收缩，造成出血量过多。

而以中医观点，并没有限制第一周不能在料理中加米酒，只有剖腹产妈咪第一周完全不能碰酒，自然生产的妈咪则建议饮用适量的米酒，炖煮时尽量蒸发，以免酒精残留体内，引起产妇火气大的症状，或影响哺乳中的婴儿。

至于麻油，分黑麻油和白麻油，各自有其功效，坐月子期间只要用法正确都可以食用。黑麻油属性温暖，要搭配凉润的食物，以免上火；相对的，白麻油属性凉，要配合温暖的食物一起烹煮。另外，体质比较燥热，容易火气大、便秘、高血压的妈咪，坐月子期间若要吃麻油，可以不用麻油爆香姜片，直接以水煮方式，滴上麻油，再搭配凉润食物一起烹煮，较不容易上火。

瓢瓜、冬瓜、丝瓜等瓜类和茭白笋，因为它们是属性凉润的食物，都在可以吃的范围内。

重点4 喝生化汤可帮助恶露排出

从古书的叮咛就可明了，产后第一周虽然气血大虚，但因恶露尚未排净，而消化功能还未恢复，所以不可急着以油腻滋补的麻油鸡、十全大补汤、滴鸡汤等药膳来补身体，应先服用生化汤来加速恶露排出、促使子宫复原。

重点5 生化汤要这样喝

- 根据个人体质调整药味和剂量
- 自然生产妈咪每天服用1剂，约服7剂
- 剖腹生产妈咪每天服用1剂，约服5剂

当归

生化汤里面有当归、泽兰、益母草、桃仁等活血化瘀的中药，可促进恶露排出，加速子宫复原。生化汤是家喻户晓的产后第一方，几乎每位婆婆妈妈都知道，但却不一定都能正确服用，因为在中医理论中，所有成方都应根据个人体质而修正药味与剂量，因此生产前若能经由家庭中医师开立处方，则疗效更佳。

以下提供修正后的生化汤供新妈咪参考，原方仅包含五味药，适用于体质虚寒、恶露排出不顺畅的妈咪，而修正过后的生化汤，添加促进消除水肿及子宫收缩的药材，适用于一般人。一般而言，自然生产妈咪，若产后24小时无特殊出血或并发症，且未服子宫收缩剂，就可开始服用，每天服用1剂，约服7剂。现在医院都有开子宫收缩剂，可以等吃完后再服，一样是吃7剂；剖腹生产妈咪，当出院后或已不再服用子宫收缩剂时，则开始服用，每天服用1剂，约服5剂。

此外，若产生严重的产后疼痛，除了服用生化汤，还可请医师开止痛处方，卧床时采俯卧姿势，适当下床活动，均有助于减轻疼痛。

加味生化汤

功效：活血止痛、调肝补血、促进子宫恶露排出、消除水肿、增强子宫收缩复原的能力。

食材：当归3钱、桃仁3钱、炙甘草1钱半、川芎1钱、炮姜1钱（以上为传统生化汤）＋益母草3钱、泽兰3钱、荆芥炭3钱、香附2钱、延胡索2钱（1天份）。

做法：

1. 所有药材中加500毫升水浸泡半小时，以大火煮滚，转小火焖煮约45分钟，取第一次煎药液。
2. 再加盖过药材的水，以大火煮沸，转小火焖煮约1小时，取第二次药液。
3. 将第一煎与第二煎药液混合，再分成早中晚3次吃，宜温服。

产后第一周可以吃的食物

食物属性	食物名称
平和食物	● 五谷杂粮类：白米、南瓜子、花生、黄豆；黑豆、红豆（喝汤为主）。 ● 海鲜、鱼类：燕窝、干贝、鲫鱼、泥鳅、虱目鱼、乌鱼、鲮鱼、鲈鱼、鲤鱼、青鱼、银鱼、鳕鱼。 ● 蔬菜类：茼蒿、高丽菜、豌豆、四季豆、豇豆、黑木耳、玉米、地瓜、马铃薯、山药、橄榄。 ● 豆类：豆浆、豆腐皮。 ● 水果类：葡萄、柠檬、无花果、李子。 ● 其他类：冰糖、果糖、苦茶油。
凉润食物	● 五谷杂粮类：小米、薏仁（喝汤）、大麦、白芝麻。 ● 奶豆类：豆腐、牛奶。 ● 蔬菜类：菠菜、瓢瓜、冬瓜、丝瓜、小白菜、地瓜叶、黄豆芽、百合、菱角、茭白、苋菜、莴苣、香菇、蘑菇、金针菇、白木耳、豆苗、花椰菜（花、梗不要吃）。 ● 水果类：苹果、莲雾、番茄、甘蔗、枇杷、橙子、草莓。 ● 其他类：室温水、白麻油、蜂蜜。
温暖食物	● 五谷杂粮类：燕麦、松子、栗子、黑芝麻。 ● 鱼类：鲶鱼、草鱼、虾、鳗鱼、鲢鱼、鳝鱼、白带鱼。 ● 蔬菜类：胡萝卜、油菜、刀豆、南瓜、蒜、香菜、生姜、葱、洋葱。 ● 水果类：鳄梨、龙眼、荔枝、樱桃、番石榴、金桔、杨梅、桃。 ● 其他类：热水、红糖、麦芽糖、醋、西谷米、黑麻油、羊奶。

产后第一周精选：12道坐月子养生汤品与粥品

食材

A 白扁豆5钱、麦冬3钱、党参1.5钱

B 鲤鱼6两、板豆腐1块、金针菇1/4碗、姜2片

调味料 白麻油1小匙、米酒1大匙、盐1/4小匙

做法

1 鲤鱼切大块；板豆腐切块；金针菇去尾，备用。

2 所有中药放入卤包袋中，加1500毫升的水，浸泡半小时，以大火煮滚，转小火煮约半小时，取药汁备用。

3 热锅，倒入白麻油，放入姜片以中火爆香后，加入药汁及豆腐，煮滚后放入鲤鱼、金针菇及米酒，以大火煮至滚沸使鱼肉熟透、酒精挥发，加盐调味即可。

这一单元的汤品是以“补养气血”“健胃整肠”及“消除浮肿”等功效为主，设计的汤品所有体质产妇都能喝。期间若腹胀严重可加谷芽3钱；浮肿严重并容易腹泻者可加茯苓3钱；容易便秘者加决明子3钱。

首乌鲫鱼汤

热量 308卡/天

功效：补气健脾、养血明目

食材

A 谷芽5钱、石斛3钱、何首乌1.5钱

B 鲫鱼6两、胡萝卜块1/3碗、姜2片

调味料 苦茶油1小匙、米酒1大匙、盐1/4小匙

做法

1. 鲫鱼切块备用。
2. 所有中药放入卤包袋中，加1500毫升的水，浸泡半小时，再放入胡萝卜块，以大火煮滚，转小火煮约半小时，取胡萝卜块及药汁备用。
3. 热锅，倒入苦茶油，放入姜片以中火爆香后，加入药汁及胡萝卜块，煮滚后放入鲫鱼、米酒，以大火煮至滚沸，使鱼肉熟透、酒精挥发，加盐调味即可。

牛乳埔乌鱼汤

热量 340卡/天

功效：健脾养胃、补肝肾、强筋骨

美味指数：★★★
难易度：★☆
使用器具：汤锅+炒锅

食材

A 白扁豆5钱、牛乳埔3钱、蜜黄精3钱

B 乌鱼6两、黄豆芽1碗、豆苗半碗、姜2片

调味料

苦茶油1小匙、米酒1大匙、盐1/4小匙

做法

1 乌鱼切大块，备用。

2 所有中药放入卤包袋中，加1500毫升的水，浸泡半小时，以大火煮滚，转小火煮约半小时，取药汁备用。

3 热锅，倒入苦茶油，放入姜片以中火爆香后，加入药汁，煮滚后放入乌鱼及米酒，大火煮熟，加黄豆芽及豆苗，大火煮熟，加盐调味即可。

● 乌鱼可以换成虱目鱼、鲈鱼、鲤鱼、银鱼。牛乳埔又名天仙果、牛乳榕，是台湾山区随处可见的一种草药，烹饪煲汤时放入，可散发出媲美牛乳的香味。

红小豆鲫鱼汤

热量 204 卡/天

功效：补养气血、消除浮肿

美味指数：★★★
难易度：★☆
使用器具：汤锅＋炒锅

食材

A 红小豆1两、淮山5钱

B 鲫鱼6两、高丽菜丝1碗、姜2片

食材介绍

鲫鱼 鲫鱼全年都有，盛产季在秋冬，以冬天味道最鲜美。挑选时要找小条，200克以下为佳，肉质比较鲜嫩，相对刺也比较小。

调味料

黑麻油1小匙、米酒1大匙、盐1/4小匙

做法

1 所有中药放入卤包袋中，加1500毫升的水，浸泡半小时，以大火煮滚，转小火煮约半小时，取药汁备用。

2 热锅，倒入黑麻油，放入姜片以中火爆香后，加入药汁及高丽菜丝，煮滚后放入鲫鱼及米酒，大火煮至滚沸使鱼肉熟透、酒精挥发，加盐调味即可。

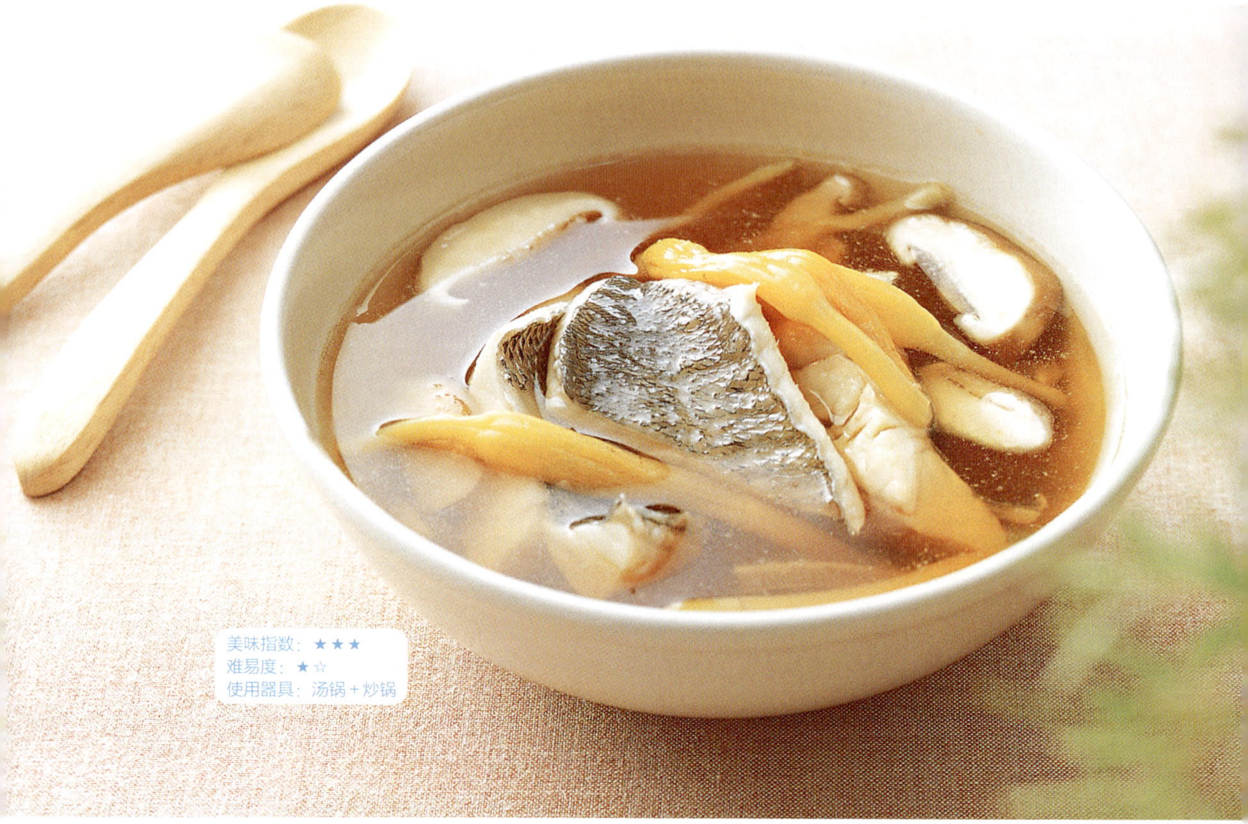

美味指数：★★★
难易度：★☆
使用器具：汤锅+炒锅

太子参虱目鱼肚汤

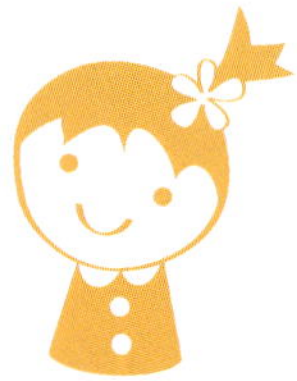

功效：补气润肺、健胃整肠、增强抵抗力

A 太子参3钱、百合3钱、紫苏2钱

B 虱目鱼肚6两、地瓜叶2两、姜片2片

调味料 黑麻油1小匙、米酒1大匙、盐1/4小匙

1 除紫苏外，其余药材放入卤包袋中，加1500毫升的水，浸泡半小时，以大火煮滚，转小火煮约半小时，再放入紫苏，熄火焖约5分钟，取药汁备用。

2 热锅，倒入黑麻油，放入姜片以中火爆香后，加入药汁，煮滚后放入虱目鱼肚、米酒，以大火煮熟，加入地瓜叶大火煮熟，加盐调味即可。

金针菇鲈鱼汤

热量 276 卡/天

功效：补肾润肺、强筋壮骨

食材

A 芡实5钱、杜仲叶3钱、沙参3钱

B 鲈鱼6两、干金针菇1碗、鲜香菇片半碗

调味料 黑麻油1小匙、米酒1大匙、盐1/4小匙

做法

1 鲈鱼切片；金针菇倒入盖过的水量，泡至涨开，备用。

2 所有中药放入卤包袋中，加1500毫升的水，浸泡半小时，以大火煮滚，转小火煮约半小时，取药汁备用。

3 热锅，倒入黑麻油，放入姜片以中火爆香后，加入药汁、金针菇菜及香菇片，煮滚后放入鲈鱼肉及米酒，大火煮至滚沸使鱼肉熟透、酒精挥发，加盐调味即可。

美味指数：★★★
难易度：★☆
使用器具：汤锅＋炒锅

枸杞鲢鱼汤

热量 426 卡/天

功效：补养气血、健胃整肠

美味指数：★★
难易度：★☆
使用器具：汤锅+炒锅

食材

A 枸杞3钱、天冬3钱、广皮2钱

B 鲢鱼6两、菱角肉半碗、茭白片1/3碗、姜2片

- 鲢鱼若买不到，可以换成同样属性温暖的鲶鱼或鳝鱼。
- 煮菱角的方法，放入滚水中，水煮后转小火，再煮约30分钟即可。

调味料

苦茶油1小匙、米酒1大匙、盐1/4小匙

做法

1 鲢鱼切大块备用。

2 天冬、广皮放入卤包袋中，加入1500毫升的水，浸泡半小时，放入菱角肉，以大火煮滚，转小火煮约半小时，取菱角肉及药汁备用。

3 热锅，倒入苦茶油，放入姜片以中火爆香后，加入药汁及菱角肉，煮滚后放入鲢鱼、茭白笋片、枸杞及米酒，大火煮至滚沸使鱼肉熟透、酒精挥发，加盐调味即可。

山药豌豆粥

热量 1141 卡/天

功效：补血明目、润肤美颜、强壮筋骨

食材

A 枸杞1两、玉竹3钱、刺五加3钱

B 白米1杯、山药块半碗、泡发海参块1碗、豌豆仁半碗、玉米酱半碗

调味料 盐适量

做法

1 玉竹、刺五加放入卤包袋中。

2 白米洗净后沥干水分，加7杯水，放入卤包袋，浸泡半小时，放入电饭锅中，外锅加1杯水，按下按键，煮至按键跳起，取出卤包袋。

3 米粥移至瓦斯炉上，以大火煮滚后，加入枸杞、山药块、海参块、豌豆仁，以大火煮滚后，倒入玉米酱，再次煮滚，加盐调味即可。

- 豌豆仁可以买生的、冷冻的，或是直接从豌豆荚中剥出即可。若吃豆类容易胀气的妈咪，可吃少一点豌豆仁。
- 玉米酱可直接买罐头制品。

金针菇银鱼粥

热量 978 卡/天

功效：补气滋阴、养血明目、心情愉悦

食材介绍

干金针菇 干金针菇泡开的过程中要换水至少3次，才可以彻底去除附着在上面的二氧化硫。选购时要挑选外观淡褐色的。看起来过于鲜艳的，有可能是添加了过多的二氧化硫。

食材

A 麦冬5钱、褚实子3钱、紫苏1.5钱

B 白米1杯、银鱼1碗、干金针菇半碗、莴苣丝半碗、火腿丝半碗

调味料 盐适量

做法

1 金针菇倒入盖过的水量，泡至涨开。

2 麦冬和褚实子放入卤包袋中；紫苏放入另一个卤包袋备用。

3 白米洗净后，加7杯水，放入含麦冬的卤包袋，浸泡约半小时，放入电饭锅中，外锅加1杯水，按下按键，煮至按键跳起，取出卤包袋。

4 米粥移至瓦斯炉上，以大火煮滚后，加入紫苏卤包袋及其余材料B，以大火再次煮滚后，加盐调味，取出卤包袋即可。

- 紫苏煎煮不能超过5分钟，所以必须另外放。

桂圆地瓜小米粥

功效：补气养血、滋养头发

食材

A 桂圆1两、桑葚3钱、何首乌3钱

B 小米半杯、白米1/4杯、地瓜丁半碗、泡发百合半碗

● 地瓜是产气食物之一，容易胀气的妈咪，可吃少一点。

调味料 蜂蜜适量

做法

1. 桑葚及何首乌放入卤包袋中。
2. 小米、白米洗净后沥干水分，加7杯水，放入卤包袋，浸泡半小时，加入地瓜丁、百合，放入电饭锅中，外锅加1杯水，按下按键，煮至按键跳起，取出卤包袋。
3. 小米粥移至瓦斯炉上，以大火煮滚后，加入桂圆，转中火煮滚后，熄火焖约10分钟，稍凉加入蜂蜜，即可。

美味指数：★★★
难易度：★☆
使用器具：电饭锅＋汤锅

食材介绍

小米 小米含有丰富的蛋白质、维生素B_1及矿物质，因不含麸质，比其他的杂粮纤维质更软，容易消化，所以很适合生产完第一周的妈咪食用。

南瓜子燕麦粥

热量 476 卡/天

功效：滋阴养血、健胃整肠、明目消脂

食材

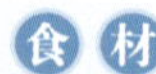

A 玉竹2两、枸杞1两

B 燕麦6大匙、南瓜子2大匙

调味料 果糖（或蜂蜜）适量

做法

1 玉竹加1000毫升的水，浸泡半小时，以大火煮滚，转小火煮约15分钟，取药汁备用。

2 药汁中加入燕麦及南瓜子，以中火煮成稠粥后，再加入枸杞煮滚，加入果糖拌匀即可。

美味指数：★★★
难易度：★
使用器具：汤锅

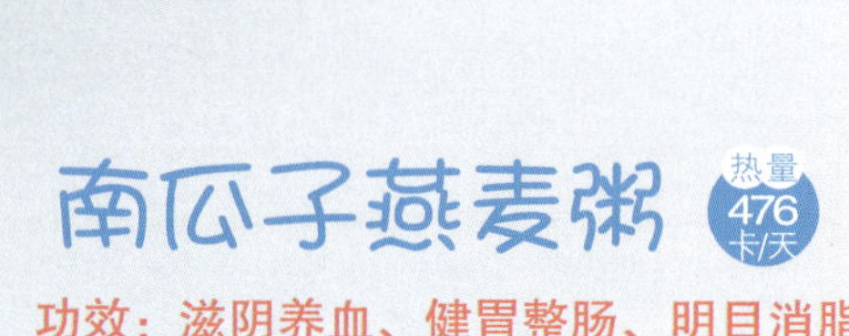

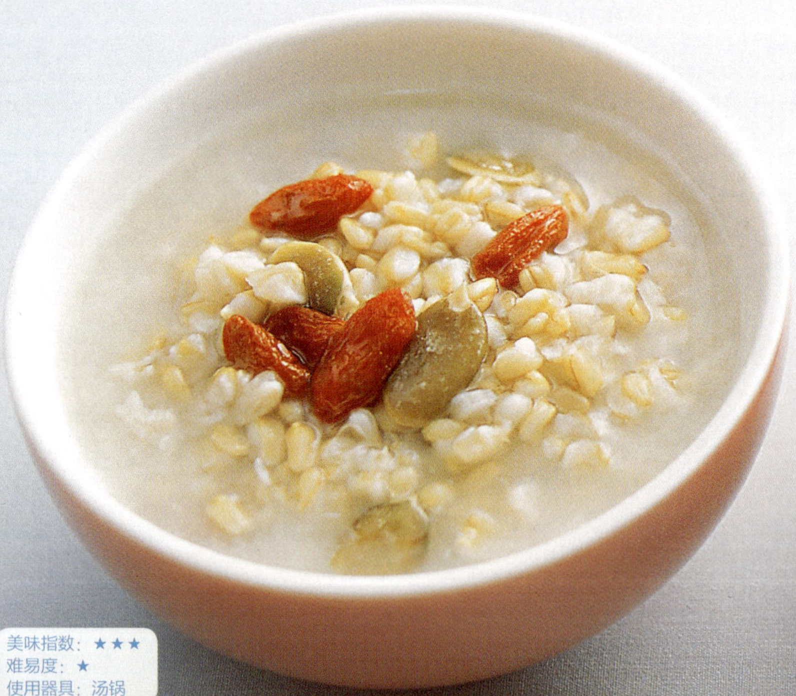

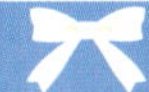

芝麻西谷米粥

热量 507 卡/大

功效：补血黑发、补肾通乳

食材

A 女贞子5钱、蜜黄精5钱、刺五加3钱

B 西谷米1/2杯、黑芝麻1大匙

调味料 蜂蜜适量

做法

1 所有中药放入卤包袋中，加1500毫升的水，浸泡半小时，以大火煮滚，转小火煮约半小时，取出卤包袋。

2 药汁中加入西谷米，以中火边煮边搅拌，煮至全部浮起，再续煮5分钟，撒上黑芝麻，加入蜂蜜调味，熄火，加盖焖5分钟即可。

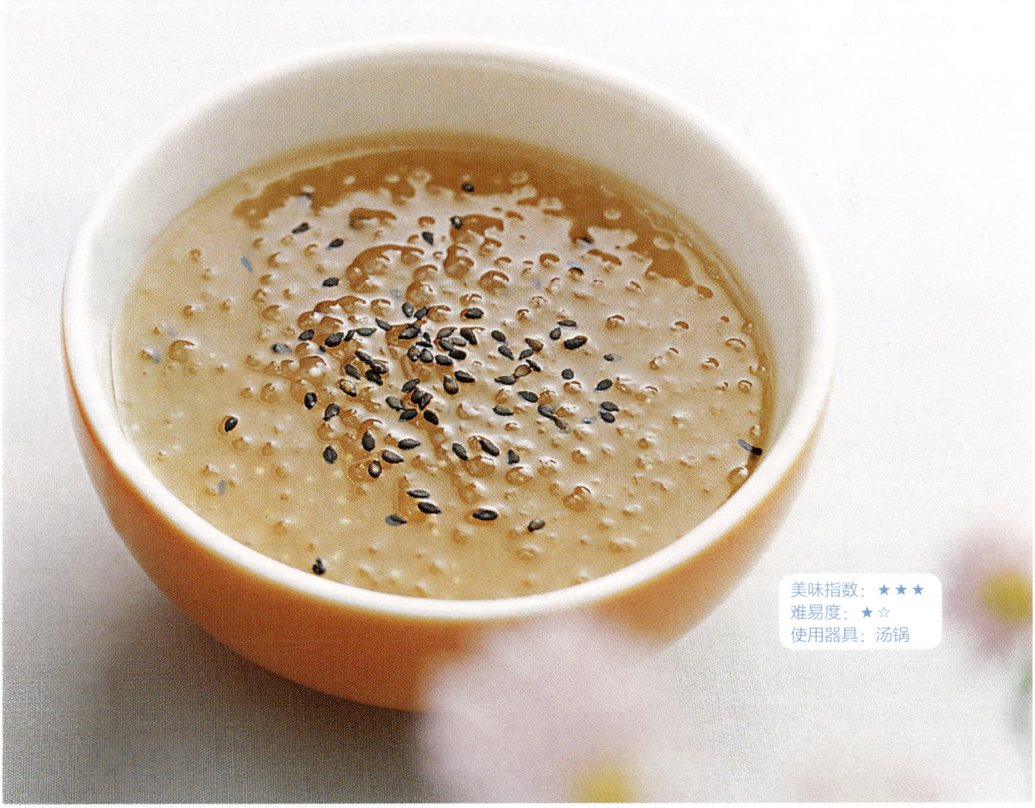

美味指数：★★★
难易度：★☆
使用器具：汤锅

Part 2
坐月子产后第二周

调理重点

根据妈咪的体质“调养气血”，“促进母乳分泌、健脾养胃、强筋壮骨、补血强心、改善排便及温补膀胱”等，是产后第二周药膳月子汤的重点。

饮食原则

- 可开始吃猪肉、牛肉及鸡肉等优质蛋白。
- 消化功能未完全恢复，肉类只能吃食材的2/3。
- 尽量多喝药膳月子汤。

产后第二周这样吃

到底坐月子该补什么呢？这是很多将要临盆妈咪的疑问。中医的理论是：无论治疗疾病，或调理身体，体质是最重要的参考依据。

重点1 可以吃猪肉、牛肉和鸡肉

产妇第二周可以开始摄取优质蛋白，如猪肉、牛肉及鸡肉等，但因消化功能尚未完全恢复，每餐用量仍不过多，食肉量约为食材的2/3即可，药膳月子汤应尽量饮用。若要吃糙米，因其纤维质含量较多，可和米一起烹煮，不要单煮糙米。

重点2 根据个人体质补气养血

一般而言，产后大多会出现气血虚弱的现象，因此“补气养血”是滋补的重点，然而在生产过程中，往往消耗大量的体液，而奶水的来源也需要大量的津液，因此“清凉滋阴”的中药与食物也是不可缺的。若未认清体质及需求，一味给予燥热补品与药膳，不仅使产妇产生上火症状，燥热的药性也会进入喝母乳的宝宝体内，因此若未经医师诊察，宜温凉时进补，才符合产妇需求。

笔者门诊中曾有燥热体质产妇，本有高血压、胆固醇过高、痔疮等慢性病，生产后婆婆为其烹调“纯酒黑麻油”鸡汤，患者因不好意思辜负长辈的好意，勉强喝了一碗鸡汤，旧病立刻复发，至门诊经中药治疗，恢复正常饮食，病情才获得控

这一周新妈咪开始正式进入补身阶段，建议先请中医师诊察自身体质，再量身定做适宜的坐月子药膳。第二周的坐月子汤方以调养气血、滋阴补阳和改善怀孕期症状为主。

制，因此并非每位产妇均适合热补的药膳或补汤。建议坐月子前，请中医师为您诊察体质，量身定做适合的坐月子药膳，才能达到改善体质的功效。

重点3 调整怀孕期间的不适

怀孕期间孕妇所产生的虚弱现象或不适症状，也是本周的调理重点，常见如贫血、手足腰腿酸痛、心跳太快、容易喘促、呼吸道过敏、消化不良、便秘、频尿等症。在调理体质的同时，要兼顾健脾养胃、强筋壮骨、补血强心、改善排便及温补膀胱。

重点4 适合调理身体的中药材

本周可开始调养气血、滋阴补阳，改善怀孕产生的症状，如党参、红枣可以健脾养胃；东洋参、桂圆可以补血强心；天冬、杜仲可以强筋壮骨；当归、麦冬可以促进乳汁分泌；西洋参、黄芪可以补气增强抵抗力；淮山、五味子可以温补膀胱，减少产后漏尿的几率。

产后第二周开始每天吃猪肝和猪腰?

很多孕妇来到门诊，总是询问第二周是否要多吃猪肝与猪腰？事实上，轮流摄取有益身体的食物，才是最优质的饮食原则，而且在药书记载中，每种食物都有其不同优点，而部分食物若吃太多，则会诱发其他疾病，因此均衡选取优质肉品与蔬果，阴阳双补、不寒不燥，才是最佳的坐月子养生法。产后第二周肠胃尚未完全恢复功能，虽然可以吃猪肝、猪腰与其他肉品，但仍不宜大量吃，以一天吃1副为主；若真的要多吃，可多喝药膳月子汤来帮助吸收营养，强壮身体。

最适用产后第二周的体质测试

你太干燥吗?	你血虚了吗?	你气虚了吗?
症状：脸部发红、口燥咽干、想要喝水、手足心热、睡时流汗、皮肤干燥脱屑、红痒、青春痘、粉刺、斑点、排便干硬、小便量少色深黄、掉发、奶水分泌不足、恶露不停且颜色鲜红。	症状：贫血、脸色苍白或萎黄、疲劳、唇白肤干、头晕目眩、头发干枯、掉发、健忘多梦、视物模糊、四肢麻木、抽筋、指甲易断、奶水分泌不足。	症状：精神不振、疲倦无力、流汗多不臭、懒言懒动、头晕嗜睡、畏寒怕冷、四肢冰冷、筋骨酸软、腰背无力
只要出现2个症状即表示太干燥。	只要出现2个症状即表示血虚。	只要出现2个症状即表示气虚。
你该补津液了！	你该补血了！	你该补气了！
凉补或阴补中药：石斛、黄精、麦冬、百合、玉竹、女贞子、天冬。	补血中药：当归、何首乌、桂圆、褚实子、枸杞、白芍、桑葚、鸡血藤。	补气中药：党参、淮山、人参、东洋参、西洋参、黄芪、冬虫夏草、红枣、五味子、灵芝、刺五加、肉桂。

注：此阶段主要是补气养血，可借由体质测试知道身体恢复的情况，看是否有必要补充足够的气血。

产后第二周可以吃的食物

食物属性	食物名称	
平和食物	● 五谷杂粮类：白米、南瓜子、花生、黄豆；黑豆、红豆（喝汤为主）。 ● 海鲜、鱼类：燕窝、干贝、鲫鱼、泥鳅、虱目鱼、乌鱼、鲮鱼、鲈鱼、鲤鱼、青鱼、银鱼、鳕鱼。 ● 蔬菜类：茼蒿、高丽菜、豌豆、四季豆、豇豆、黑木耳、玉米、地瓜、马铃薯、山药、橄榄。 ● 豆类：豆浆、豆腐皮。 ● 水果类：葡萄、柠檬、无花果、李子。 ● 其他类：冰糖、果糖、苦茶油。	+ 鲍鱼、墨鱼、猪肉、猪心、猪蹄、猪胰、猪腰、鹌鹑、牛肝、鸡蛋、鹌鹑蛋、红椒、芋头、莲子
凉润食物	● 五谷杂粮类：小米、薏仁（喝汤）、大麦、白芝麻。 ● 奶豆类：豆腐、牛奶。 ● 蔬菜类：菠菜、瓢瓜、冬瓜、丝瓜、小白菜、地瓜叶、黄豆芽、百合、菱角、茭白、苋菜、莴苣、香菇、蘑菇、金针菇、白木耳、豆苗、花椰菜（花、梗不要吃）。 ● 水果类：苹果、莲雾、番茄、甘蔗、枇杷、橙子、草莓。 ● 其他类：室温水、白麻油、蜂蜜。	+ 章鱼、乌骨鸡、猪皮、白毛鸭、田鸡、白萝卜、莲藕、柳松菇、雪白菇、油豆腐、竹笙、蛋白、自制不冰的酸奶、茶
温暖食物	● 五谷杂粮类：燕麦、松子、栗子、黑芝麻。 ● 鱼类：鲶鱼、草鱼、虾、鳗鱼、鲢鱼、鳝鱼、白带鱼。 ● 蔬菜类：胡萝卜、油菜、刀豆、南瓜、蒜、香菜、生姜、葱、洋葱。 ● 水果类：鳄梨、龙眼、荔枝、樱桃、番石榴、金桔、杨梅、桃。 ● 其他类：热水、红糖、麦芽糖、醋、西谷米、黑麻油、羊奶。	+ 淡菜、猪肝、猪肚、牛肉、牛肚、鸡肉、鸡肝、羊肉、芥菜、核桃、鹅蛋、鸡蛋黄、杏、适量沙茶酱

注：除了第一周可以吃的食物，在表格右边新加上的食物是从第二周开始可吃的食物。

产后第二周精选：12道坐月子养生汤品与粥品

明目猪肝汤

功效：补气调血、养肝明目

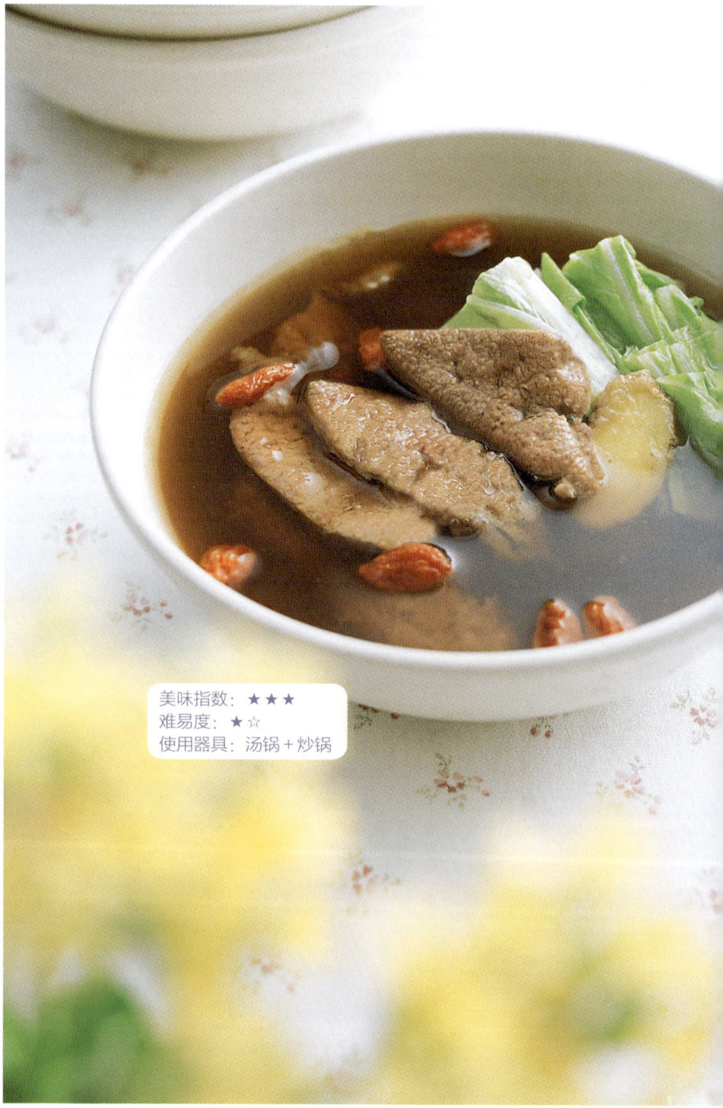

食材

A 枸杞5钱、女贞子3钱、褚实子3钱、淮山3钱

B 猪肝5两、小白菜段1碗、姜2片

调味料

A 米酒1/4小匙、太白粉少许

B 黑麻油1大匙、盐1/4小匙

做法

1. 猪肝洗净切片后，以米酒腌约15分钟，沾少许太白粉备用。
2. 除枸杞外，其余药材放入卤包袋中，加1500毫升的水，浸泡半小时，以大火煮滚，转小火煮约半小时，取药汁备用。
3. 热锅，倒入黑麻油，放入姜片以中火爆香后，放入猪肝翻炒数下，加入药汁，大火煮滚后，放入枸杞、小白菜段，再次煮滚，加盐调味即可。

美味指数：★★★
难易度：★☆
使用器具：汤锅+炒锅

此单元的汤品是以“补气养血”“增进体力”“强筋壮骨”“预防产后腰酸背痛”“润燥生津”“帮助发奶”等功效为主，设计的汤品所有体质都能喝，这期间若容易腹泻可加茯苓3钱；容易便秘者可加决明子3钱。

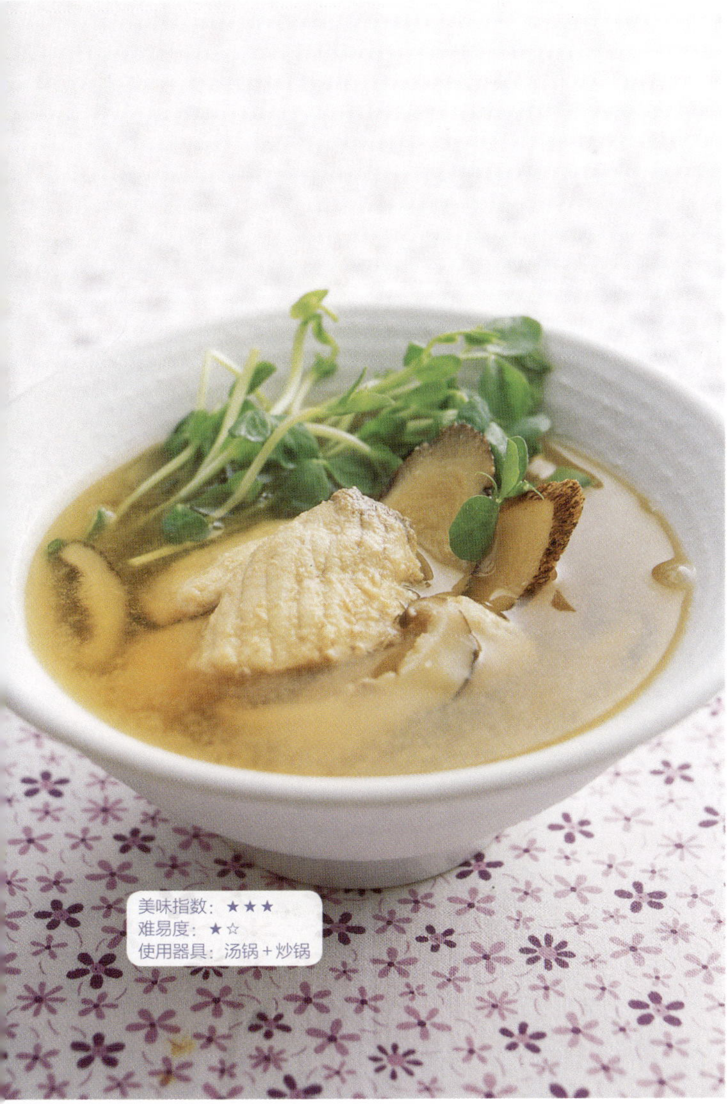

黄芪鲫鱼汤

功效：补肺健脾、增强抵抗力

美味指数：★★★
难易度：★☆
使用器具：汤锅+炒锅

食材

A 黄芪3钱、玉竹3钱、谷芽3钱

B 鲫鱼6两、鲜香菇丝半碗、豆苗半碗、姜2片

调味料 黑麻油1小匙、米酒1大匙、盐1/4小匙

做法

1 鲫鱼切块备用。

2 所有中药放入卤包袋中，加1500毫升的水，浸泡半小时，以大火煮滚，转小火煮约半小时，取药汁备用。

3 热锅，倒入黑麻油，放入姜片以中火爆香后，加入药汁及香菇丝，煮滚后放入鲫鱼、豆苗及米酒，大火煮至滚沸使鱼肉熟透、酒精挥发，加盐调味即可。

蘑菇田鸡汤

热量 374卡/天

功效：强心润肺、健胃整肠

美味指数：★★★
难易度：★☆
使用器具：汤锅

食材

A 红枣5钱、麦冬5钱、绿萼梅1.5钱

B 田鸡半斤、蘑菇片4个、姜3片、葱段1根

调味料 黑麻油1小匙、米酒1大匙、盐1小匙

做法

1 田鸡切块备用。

2 麦冬、绿萼梅放入卤包袋中，加1500毫升的水，浸泡半小时，以大火煮滚后改小火，煮约半小时，取药汁备用。

3 药汁以大火煮滚后，放入田鸡、红枣、姜片、葱段、黑麻油及米酒，续以大火煮至田鸡熟后，加入蘑菇片再次煮熟，加盐调味即可。

灵芝鸡汤

热量 381 卡/天

功效：五脏俱补、强心消肿、控制体重

食材

A 玉竹5钱、炙甘草5钱、桂圆5钱、灵芝2钱

B 棒棒鸡腿2只、鸡翅2只、冬瓜块1碗、竹笙3条、姜3片

调味料

A 盐少许、白醋少许

B 米酒1大匙、盐适量、香油1小匙

做法

1 所有中药放入卤包袋中。

2 竹笙剪去蒂端后，放入冷水中泡软，切块，放入加盐和白醋的滚水中汆烫；鸡腿及鸡翅切成块状，放入滚水中汆烫，取出备用。

3 卤包袋放入电饭锅内锅中，倒入1500毫升的水，浸泡半小时，再放入所有食材B及米酒，外锅加2杯水，按下按键，煮至按键跳起，取出卤包袋，加入盐、香油调味即可。

美味指数：★
难易度：★☆
使用器具：汤锅+电饭锅

● 这道药膳因为有灵芝，喝起来会苦，若是妈咪怕苦，可以把灵芝改为1钱。

美味指数：★
难易度：★☆
使用器具：汤锅＋电饭锅

杜仲排骨汤

热量 664 卡/天

功效：补养肝肾、强筋壮骨、减脂消肿

● 若怕苦，中药材中的杜仲可改成牛乳埔5钱，就不会苦，而且效果也相同。

食材

A 薏仁1两、天冬5钱、杜仲3钱、鸡血藤3钱

B 小排骨6两、莲藕片1碗、姜5片

调味料 米酒1大匙、苦茶油1小匙、盐适量

做法

1 薏仁加适量水浸泡1小时，其余药材放入卤包袋中。

2 小排骨放入滚水氽烫后，取出备用。

3 卤包袋放入电饭锅内锅中，倒入1500毫升的水，浸泡半小时，再放入所有食材B、薏仁、米酒及苦茶油，外锅加2杯水，按下按键，煮至按键跳起，稍凉，再加1杯水，再次跳起，取出卤包袋，加入盐调味即可。

食材

A 黑豆1两、何首乌3钱、蜜黄精3钱、五味子1钱

B 猪腰1副、猪胰1条、地瓜叶段1碗、姜5片

调味料 黑麻油1大匙、米酒1大匙、盐1/4小匙

● 猪腰上的内部白色结缔组织要切除干净，不然会有尿骚味，这个可请猪肉摊贩代为处理。

● 切好的腰花重复泡水可去除腥味，烫好后还要泡水，以免口感会太硬。

做法

1 猪胰洗净切片；猪腰切除白色结缔组织，以冷水及生姜3片浸泡，每5分钟换水、清洗、再泡水，约重复3～4次，再切成花刀，放入滚水中汆烫，捞起冲冷水后，浸泡在冷水中备用。

2 所有中药放入卤包袋中，加1500毫升的水，浸泡半小时，以大火煮滚，转小火煮约半小时，取药汁备用。

3 热锅，倒入黑麻油，放入2片姜片以中火爆香后，加入猪腰及猪胰翻炒数下，淋上米酒，加入药汁，大火煮滚后加入地瓜叶，再次煮滚，加盐调味即可。

黑豆猪腰汤

功效：补肾滋阴、美颜养容、黑发消肿

石斛猪肝汤

热量 430卡/天

功效：健脾养胃、滋补肝肾、明目养血

美味指数：★★★
难易度：★☆
使用器具：汤锅＋炒锅

食材

A 石斛3钱、党参3钱、红枣3钱

B 猪肝6两、菠菜段1碗、姜2片

调味料

A 米酒1/4小匙、太白粉少许

B 白麻油1大匙、盐1/4小匙

● 菠菜先汆烫过，可以去除草酸，减少产生结石的几率。猪肝先沾太白粉，煮过后会比较嫩。

做法

1 猪肝切片后，以米酒腌约15分钟，沾太白粉备用；菠菜段放入滚水中汆烫，取出备用。

2 石斛、党参放入卤包袋中，与红枣一起加1500毫升的水，浸泡半小时，以大火煮滚，转小火煮约半小时，取药汁备用。

3 热锅，倒入白麻油，放入姜片以中火爆香后，放入猪肝翻炒数下，加入药汁，大火煮滚后，放入烫好的菠菜段及盐调味。

食材

A 蜜黄精5钱、党参3钱、紫苏1.5钱

B 虾仁1/4碗、绞肉1/4碗、山药丁1/4碗、豌豆仁1/4碗、蛋1粒、葱段1根、姜2片

调味料 盐2小匙、太白粉水少许、香油1小匙

● 如果新妈咪对虾过敏，或怕吃虾影响婴儿，可换成属性同样温性的鸡肉或牛肉来代替。

做法

1 蜜黄精和党参放入卤包袋中；紫苏放入另一个卤包袋备用。

2 取含蜜黄精的卤包袋，加1500毫升的水，浸泡半小时，以大火煮滚，转小火熬煮半小时，放入紫苏的卤包袋，熄火焖5分钟，取出所有卤包袋。

3 做法2的药汁转大火，放入除蛋外的所有食材B，续以大火煮熟后，加入盐调味，再以太白粉水勾芡，加入打散的蛋液，煮至熟，滴上香油即可。

山药虾仁羹

热量 326 卡/天

功效：补气养血、帮助发奶

美味指数：★★★
难易度：★★
使用器具：汤锅

黑麻油鸭

热量 589 卡/天

功效：调理肝肾、补养筋骨、减少酸痛

食材

A 女贞子3钱、骨碎补2钱、当归1.5钱、东洋参1钱、川七1钱、蜜枣1颗

B 白毛鸭半只、姜2片

调味料 黑麻油1又1/2大匙、米酒1大匙、盐适量

做法

1 所有中药放入卤包袋中。

2 白毛鸭切块，放入滚水中汆烫，取出备用。

3 热锅，倒入黑麻油，放入姜片以中火爆香后，再放入鸭肉块，炒至水分略干。

4 卤包袋放入电饭锅内锅中，倒入1500毫升的水，浸泡半小时，再放入炒好的鸭肉块及米酒，外锅加2杯水，按下按键，煮至按键跳起，取出卤包袋，加入盐调味即可。

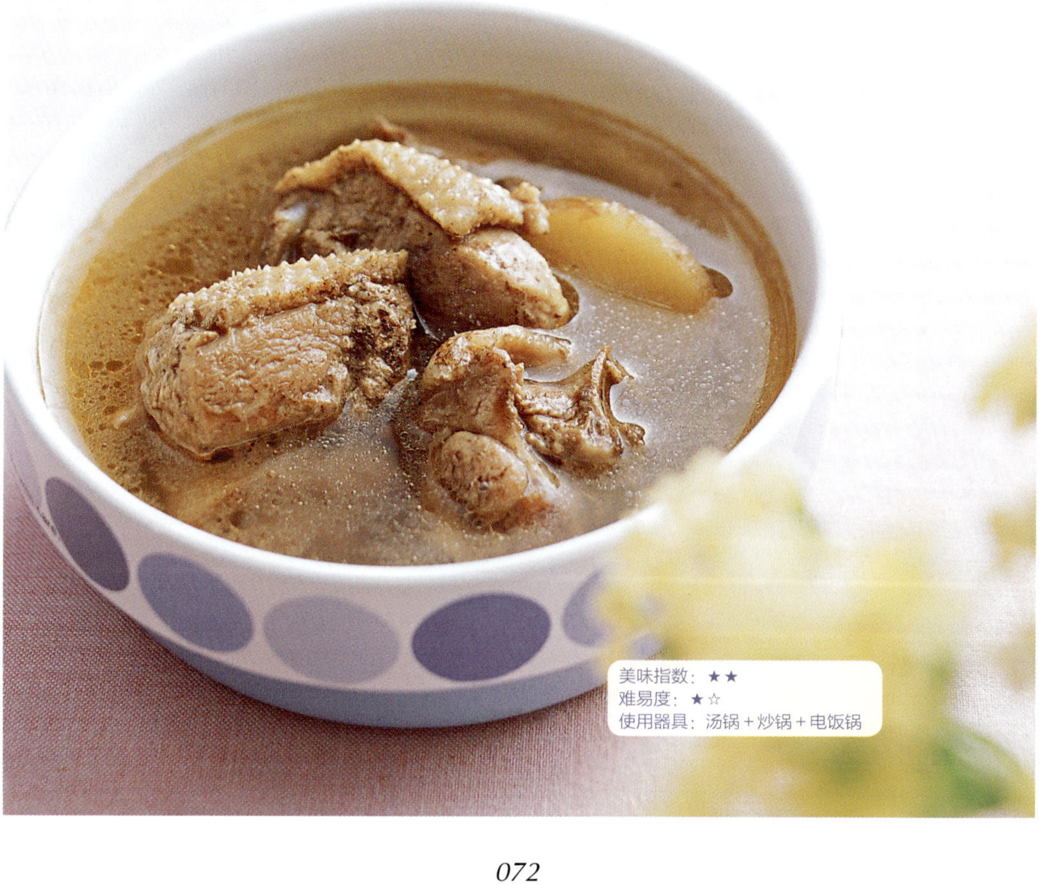

美味指数：★★
难易度：★☆
使用器具：汤锅＋炒锅＋电饭锅

牛肉洋葱汤

功效：润燥生津、增强体力、促进乳汁分泌

A 白芍3钱、桑葚3钱、广皮2钱

B 牛肉6两、洋葱丁1碗、红椒丁1碗、葱段1根、姜3片

调味料 米酒1大匙、糖1/2小匙、盐1小匙

1 所有中药放入卤包袋中。

2 牛肉切块，放入滚水中汆烫，取出备用。

3 卤包袋放入电饭锅内锅中，倒入1500毫升的水，浸泡半小时，再放入除红椒丁外的食材B、米酒及糖，外锅加2杯水，按下按键，煮至按键跳起，稍凉。再加2杯水，按下按键，跳起焖5分钟，放入红椒丁，按下按键，等按键跳起，取出卤包袋，加入盐调味即可。

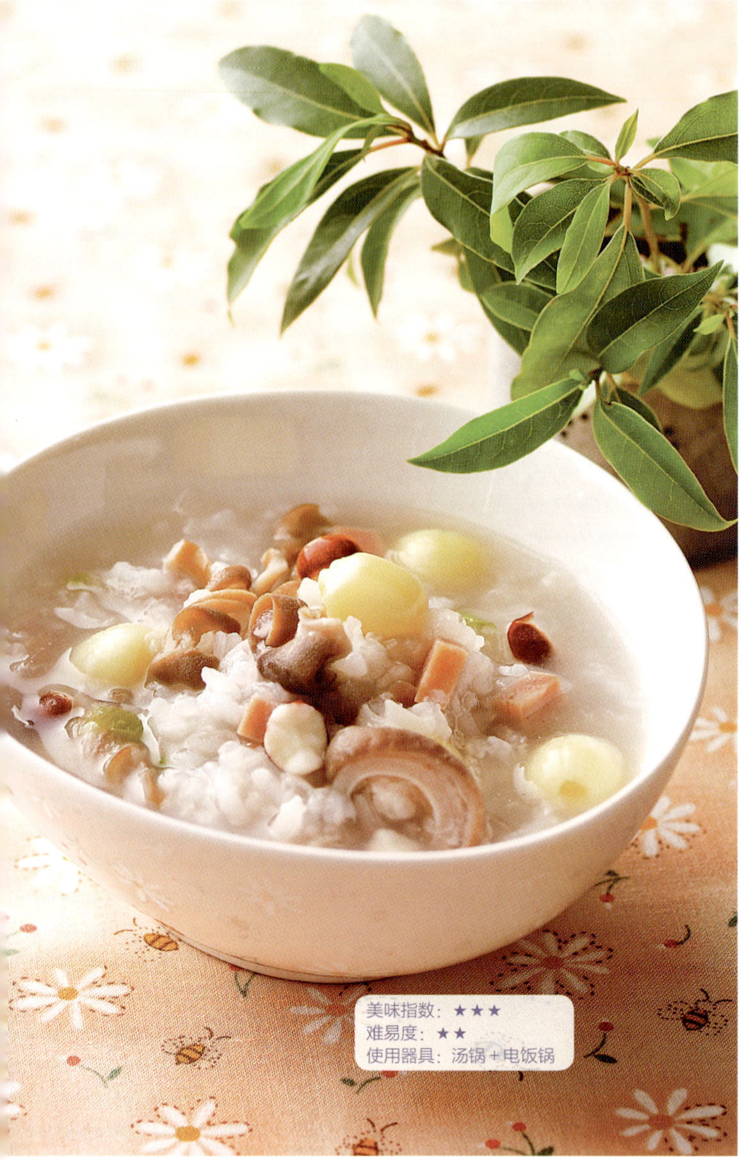

猪肚元气粥

功效：健脾养胃、消水肿、控制体重

美味指数：★★★
难易度：★★
使用器具：汤锅＋电饭锅

食材

A 玉竹5钱、莲子5钱、芡实3钱、西洋参1钱

B 白米1杯、猪肚半个、冬瓜丝1碗、火腿丁半碗、葱1根、姜3片

调味料 米酒1大匙、盐适量

做法

1 猪肚用盐洗净表面黏膜后放入锅中，加3000毫升水、米酒、葱及姜，大火煮滚后转小火，煮约2小时后，切丝备用。

2 除芡实外，其余药材放入卤包袋中。

3 白米洗净后沥干水分，加7杯水、卤包袋及芡实，浸泡半小时，放入电饭锅中，放入其余食材B及米酒，外锅加1杯水，按下按键，煮至按键跳起，取出卤包袋，加入盐调味即可。

干贝鲍鱼粥

热量 909 卡/天

功效：补肝明目、养阴润肺、增强抵抗力

美味指数：★★★
难易度：★★
使用器具：电饭锅

食材

A 枸杞1两、刺五加3钱、西洋参1.5钱

B 白米1杯、罐头鲍鱼1粒、干贝1粒、玉米粒半碗、莴苣丝半碗

调味料 米酒1小匙、盐适量

● 因鲍鱼肉较难消化，且营养精华已渗入粥品中，因此产妇可吃其余食材及粥品，鲍鱼肉则勿食用。

做法

1 刺五加、西洋参放入卤包袋中。

2 干贝放入碗中，加入米酒及盖过干贝的水，放入电饭锅中，外锅加半杯水，按下按键，跳起，取出放凉后，剥丝；鲍鱼切片备用。

3 白米洗净后沥干水分，加7杯水、卤包袋，浸泡半小时，放入鲍鱼、干贝及玉米粒，放入电饭锅中，外锅加1杯水，按下按键。煮至按键跳起，取出卤包袋，加入枸杞、莴苣丝及盐，焖约5分钟即可。

Part 3

坐月子产后第三周至满月

调理重点

“滋补五脏六腑、预防老化、美颜淡斑、恢复窈窕”等，是第三周至满月这段时间药膳月子汤的重点。

饮食原则

- 可逐渐恢复成正常肉量。
- 有子宫肌瘤、卵巢肿瘤、子宫内膜异位及乳房肿瘤的妈咪，使用中药应避免用到刺激荷尔蒙过度分泌及肿瘤细胞变化的药材。

产后第三周至满月这样吃

古人叮咛“半月方可食鲜肉，渐渐加增”，因为经过产后两周的调理，产妇的肠胃功能已逐渐复原，若未出现发炎及并发症，从第三周开始，食肉的量可逐渐增加。而每种肉品均有其特殊的养分，只要非油腻部位，均衡食用都是很好的补品。此时除了根据产妇特有的症状继续调理外，滋补五脏六腑、预防老化、美颜淡斑、恢复窈窕等都是药膳月子汤的重点。

重点1 强化五脏六腑预防老化

中医的“心、肝、脾、肺、肾”五脏，“胆、胃、大肠、小肠、膀胱、三焦”六腑，代表身体大部分的组织、器官与系统。强化五脏六腑，就可以预防身体老化、美颜养颜、恢复窈窕。尤其在怀孕过程中，为了给胎儿最佳的营养与生长环境，母亲的身体或多或少产生变化。体质虚弱的妈咪，怀孕后立即出现临床症状，部分则当下虽未表现出来，却成为日后疾病的病因。

门诊中曾出现对牛奶过敏的孕妇，怀孕过程中都不敢喝鲜奶，但又未足量摄取其他含钙的食物，生产后竟因骨质疏松而骨折。此阶段除了针对怀孕后遗症，常见的如贫血、腰酸背痛、水肿、孕斑、肥胖等加强调理外，对未出现症状的其他脏器，也要加以适当调理，因为“预防胜于治疗”，这样就可常保安康。

从产后第三周开始，食肉量可逐渐增加。除根据产妇特有的症状继续调理外，滋补五脏六腑、预防老化、美颜淡斑、恢复窈窕等都是这一周药膳月子汤的重点。

重点2 有妇科疾病的新妈咪，用药需谨慎

有妇科疾病的新妈咪，如有子宫肌瘤、卵巢肿瘤、子宫内膜异位及乳房肿瘤等疾病，在滋补的过程中，应注意药膳食材的选择，像是会刺激荷尔蒙过度分泌，促使肿瘤细胞变化的药材应避免使用，或者在使用时最好能请教中医师，做到安全补身。

重点3 适合调理身体的中药材

第三周开始，消化功能已逐渐恢复，趁着产后吸收力最佳的时刻，可利用养生抗老的中药，调理五脏六腑，改善宿疾，美颜祛斑，恢复窈窕。例如，黄芪、荷叶、茯苓可促进水分及油脂代谢；黄精、荆芥、桂圆可以美白去孕斑；东洋参、百合可以补肺强心；刺五加、桑葚可以养血保肝抗老；淮山、黑豆可以强肾解毒消水肿。

桂圆

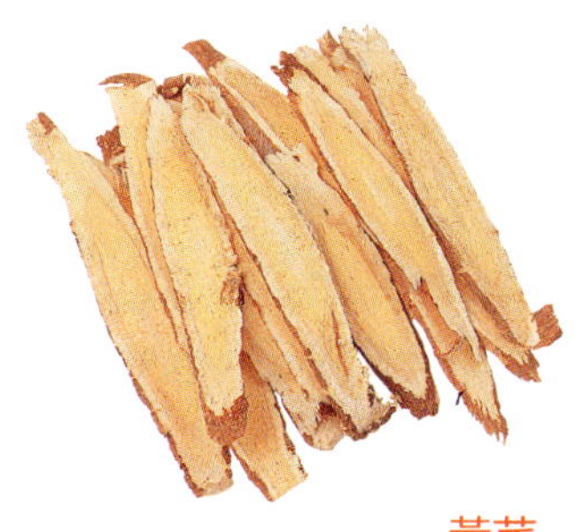

黄芪

最适用产后第三周的体质测试

你的脏腑气血虚弱吗？

心：心胸闷、动则易喘、嘴唇暗、心跳慢。

肺：容易感冒、呼吸气短、遇冷鼻塞、流鼻水、气喘、声音低微、久咳不愈。

肝：视力模糊、抽筋、流眼泪。

脾胃：食欲不振、胃气从嘴巴冲出、腹胀、打嗝、恶心呕吐、胃酸肠鸣、肌肉消瘦无力、大便较软或易腹泻。

肾和膀胱：小便频繁且色清量多、漏尿、夜尿多、排尿困难、奶水分泌不足、掉发、恶露不停且颜色暗红或咖啡色。

只要每个脏腑出现1个症状即表示有虚弱的情况。

你的脏腑干燥上火吗？

心：心悸心烦、心跳过快、嘴破、失眠梦多、难入眠。

肺：干咳痰少而稠、鼻子干搔痒、流鼻血。

胃肠：肚子饿却不想吃东西、干呕、胃部胀气、排便不顺畅。

肝胆：口苦、烦躁易怒、眼睛干燥、眼睛痒、眼睛充血、排便干硬。

肾和膀胱：耳朵干燥、耳朵痒、关节酸软无力、眩晕耳鸣、小便量少且色深黄、恶露不停且颜色鲜红。

只要每个脏腑出现1个症状即表示有上火的情况。

注：第三周重点在于强化五脏六腑，借由此体质测试可知身体恢复的情况，若仍有脏腑虚弱或是上火，可继续食用此阶段的药膳月子汤。

产后第三周可以吃的食物

食物属性	食物名称	
平和食物	● 五谷杂粮类：白米、南瓜子、花生、黄豆、黑豆、红豆、莲子。 ● 海鲜、鱼、肉类：燕窝、干贝、鲫鱼、泥鳅、虱目鱼、乌鱼、鲮鱼、鲈鱼、鲤鱼、青鱼、银鱼、鲍鱼、墨鱼、猪肉、猪蹄、猪胰、猪心、猪腰。 ● 奶蛋豆类：鸡蛋、鹌鹑蛋、豆浆、豆腐皮。 ● 蔬果类：茼蒿、高丽菜、豌豆、四季豆、豇豆、黑木耳、玉米、地瓜、马铃薯、山药、橄榄、红椒、芋头、葡萄、柠檬、无花果、李子。 ● 其他类：冰糖、果糖、苦茶油。	+ 猪尾 蹄筋 青木瓜 蚕豆
凉润食物	● 五谷杂粮类：小米、薏仁、大麦、白芝麻。 ● 肉类：乌骨鸡、猪皮、白毛鸭、田鸡、章鱼、羊肝。 ● 奶蛋豆类：豆腐、油豆腐、蛋白、牛奶。 ● 蔬果类：菠菜、瓢瓜、冬瓜、丝瓜、小白菜、地瓜叶、豆苗、黄豆芽、茭白、苋菜、莴苣、花椰菜、金针菇、香菇、蘑菇、白木耳、白萝卜、莲藕、柳松菇、雪白菇、百合、菱角、竹笙、苹果、莲雾、番茄、甘蔗、枇杷、橙子、草莓。 ● 其他类：室温水、茶、白麻油、蜂蜜、自制不加冰的酸奶。	+ 苜蓿芽 芹菜 杏鲍菇
温暖食物	● 五谷杂粮类：燕麦、松子、栗子、黑芝麻、核桃。 ● 海鲜、鱼、肉类：鲶鱼、草鱼、虾、鳗鱼、鲢鱼、鳝鱼、白带鱼、海参、淡菜、牛肉、牛肚、鸡肉、鸡肝、猪肝、猪肚、羊肉。 ● 奶蛋类：羊奶、鹅蛋、鸡蛋黄。 ● 蔬果类：胡萝卜、油菜、刀豆、南瓜、蒜、香菜、生姜、葱、洋葱、芥菜、酪梨、龙眼、荔枝、樱桃、番石榴、金桔、杨梅、桃、杏、木瓜。 ● 其他类：热水、红糖、麦芽糖、醋、西谷米、沙茶酱、黑麻油。	+ 紫米 南杏仁 鱼鳔

注：在表格右侧新加上的食物是从第三周开始可吃的食物。

产后第三周精选：16道坐月子养生汤品

首乌莲藕鸡

热量 482 卡/天

功效：补血黑发、补肺健脾、消脂消油

美味指数：★★★
难易度：★☆
使用器具：汤锅+电饭锅

食材

A 何首乌3钱、白芍3钱、党参3钱、荷叶1.5钱

B 乌骨鸡半只、莲藕片1碗、高丽菜片2碗、姜3片

调味料 米酒1大匙、黑麻油1小匙、盐适量

做法

1. 所有中药放入卤包袋中。
2. 乌骨鸡切成块状，放入滚水中汆烫，取出备用。
3. 卤包袋放入电饭锅内锅中，倒入1500毫升的水，浸泡半小时，再放入所有食材B、米酒及黑麻油，外锅加2杯水，按下按键，煮至按键跳起，取出卤包袋，加入盐调味即可。

● 莲藕切口容易变黑，可泡盐水或醋水，以防变黑。若不喜欢吃太烂的高丽菜，可以等按键跳起后再放，再加半杯水煮熟即可。

这一单元的汤品是以“滋补脏腑”“强身抗老”“美颜淡斑”“窈窕塑身”四种功效为主，设计的汤品所有体质妈咪都能喝，此期间若容易腹泻可加茯苓3钱；容易便秘则可加决明子3钱。

鸡肝明目汤

热量 384 卡/天

功效：调养肝肾、补血明目、窈窕塑身

食材

A 黑豆5钱、女贞子3钱、褚实子3钱、茺蔚子2钱、荷叶1钱

B 鸡肝5两、苋菜段1碗、姜2片

调味料

A 米酒1/4小匙、太白粉少许

B 白麻油1大匙、盐1/4小匙

做法

1 鸡肝切块后，以米酒腌约15分钟，沾少许太白粉备用。

2 所有中药放入卤包袋中，加1500毫升的水，浸泡半小时，以大火煮滚后，转小火煮约半小时，取药汁备用。

3 热锅，倒入白麻油，放入姜片以中火爆香后，加入鸡肝及苋菜段翻炒数下，加入药汁，大火煮滚后加盐调味后即可。

● 鸡肝沾太白粉可以让肉质柔软可口。

美味指数：★★★
难易度：★☆
使用器具：汤锅＋炒锅

竹笙排骨汤

热量 486 卡/天

功效：强筋骨、美颜淡斑、促进奶水分泌

美味指数：★★★
难易度：★☆
使用器具：汤锅+电饭锅

食材

A 蜜黄精5钱、枸杞5钱、骨碎补1.5钱

B 小排骨6两、竹笙4条、干无花果1个、姜5片

调味料

A 盐少许、白醋少许

B 米酒1大匙、黑麻油1小匙、盐适量

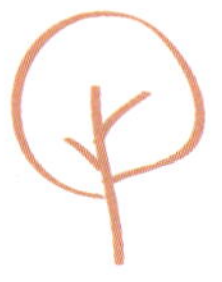

做法

1 干无花果切开，与蜜黄精、骨碎补一起放入卤包袋中。

2 竹笙剪去蒂端后，放入冷水中泡软，切块，放入加盐和白醋的滚水中汆烫；小排骨放入滚水汆烫后，取出沥干备用。

3 卤包袋放入电饭锅内锅中，倒入1500毫升的水，浸泡半小时，再放入所有食材B、米酒及黑麻油，外锅加2杯水，按下按键，煮至按键跳起。稍凉，再加1杯水，按下按键，跳起，取出卤包袋，加入枸杞及盐，焖约5分钟即可。

食材介绍

竹笙 竹笙食用前要先放入冷水中浸泡，泡约10分钟就会软，中间要勤换水，直到洗去表面杂质和气味，才能彻底去除可能的残留物。

美味指数：★★★
难易度：★
使用器具：汤锅+电饭锅

鲍鱼鸡汤

热量 672卡/天

功效：滋阴养肝、美颜淡斑、明目消脂

食材

A 天冬5钱、鳖甲5钱、太子参3钱、荷叶1.5钱

B 母鸡半只、罐头鲍鱼1粒、黑木耳丝1碗、泡发百合半碗、姜3片

调味料 米酒1大匙、白麻油1小匙、盐适量

做法

1 所有中药放入卤包袋中。

2 母鸡切成块状，放入滚水中汆烫，取出；鲍鱼对切，备用。

3 卤包袋放入电饭锅内锅中，倒入1500毫升的水，浸泡半小时，再放入所有食材B、米酒及白麻油，外锅加2杯水，按下按键，煮至按键跳起。稍凉，再加1杯水，按下按键，跳起，取出卤包袋，加入盐调味即可。

食材介绍

干百合 干百合泡到发至少要半天时间，因干百合用硫磺熏过，浸泡的期间多换几次水，以免煮出来的汤汁带有酸味。百合也可用新鲜的，但不太好买。

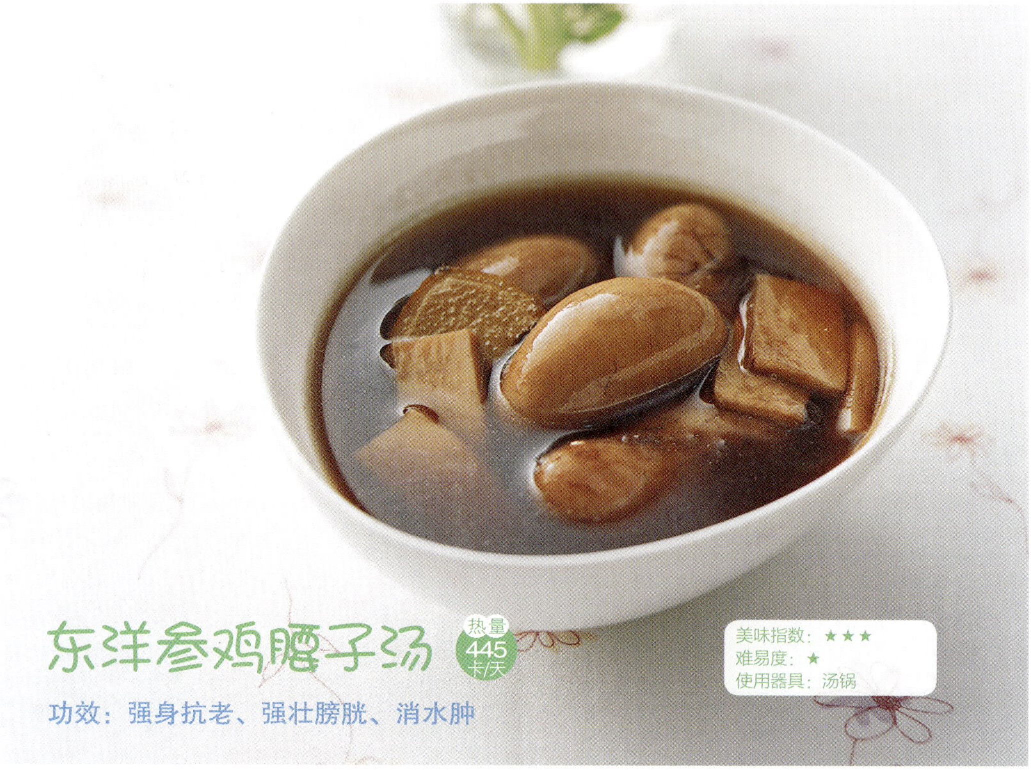

东洋参鸡腰子汤

热量 445卡/天

美味指数：★★★
难易度：★
使用器具：汤锅

功效：强身抗老、强壮膀胱、消水肿

食材

A 黑豆5钱、红枣3钱、桑葚3钱、东洋参1.5钱、佛手1.5钱。

B 鸡腰子5两、杏鲍菇片半碗、姜2片。

调味料 盐1/4小匙、苦茶油少许。

做法

1 所有中药放入卤包袋中，加1500毫升的水，浸泡半小时，以大火煮滚，转小火煮约半小时，取出卤包袋。

2 药汁中放入鸡腰子、杏鲍菇片及姜片，以大火煮熟，加盐调味，滴入苦茶油即可。

● 此道药膳的鸡腰子（鸡肾）也可以换成属性和功效同样的鱼鳔，分量一样。

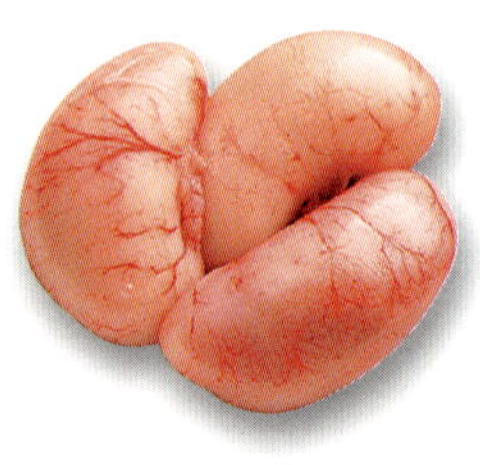

干贝海参羹

热量 390 卡/天

功效：补肺强心、增强抵抗力

食材

A 黄芪3钱、沙参3钱、桑葚3钱、炙甘草3钱

B 泡发的海参半碗、新鲜干贝丁、玉米粒半碗、火腿丁半碗、葱段1根、姜2片

调味料 盐1小匙、太白粉水适量、乌醋适量、香油1小匙。

做法

1 所有中药放入卤包袋中，加1500毫升的水，浸泡半小时，以大火煮滚，转小火熬煮约半小时，取药汁备用。

2 海参从中间剖开，去除泥肠，切小块，放入滚水中汆烫，取出备用。

3 药汁以大火煮滚后，放入所有食材B，续以大火煮熟后，加入盐调味后，再以太白粉水勾芡拌匀，滴上乌醋、香油即可。

● 太白粉水是以太白粉和水用1：1的比例调成，可根据个人喜好的稠度调整，加入相应分量的太白粉水。

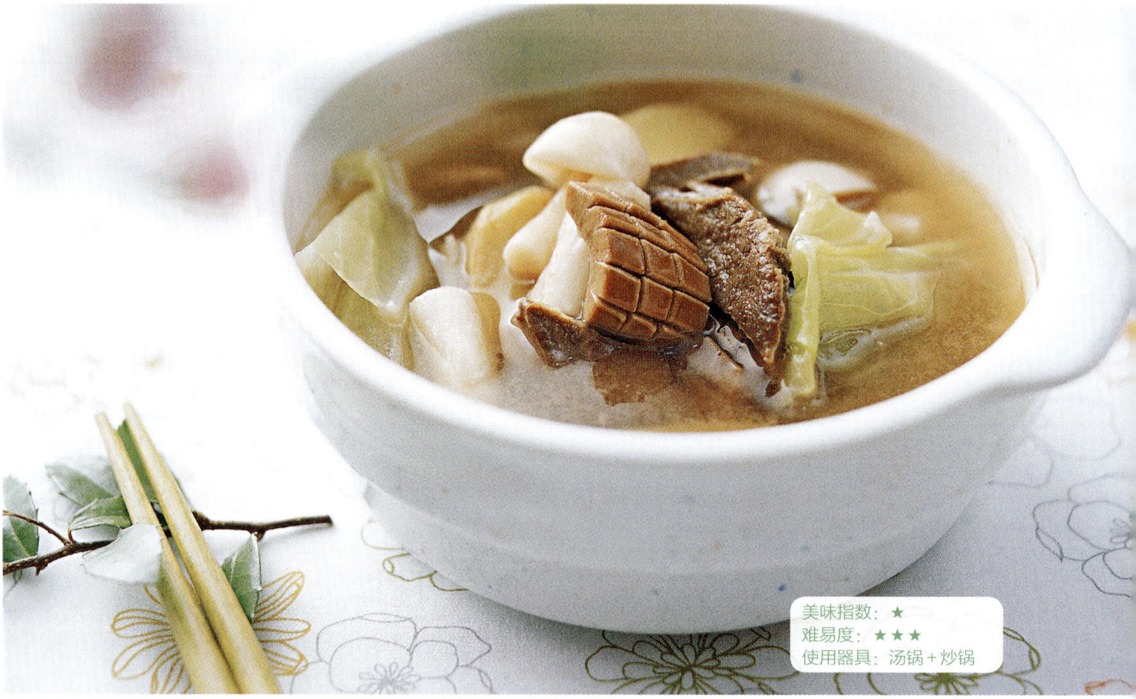
美味指数：★
难易度：★★★
使用器具：汤锅＋炒锅

猪胰猪腰汤

热量 329 卡/天

功效：补血行血、补肾强腰

食材

A 白芍3钱、桂圆3钱、桑寄生2钱、川七1钱

B 猪腰1副、猪胰1条、高丽菜片1碗、雪白菇段1碗、姜5片

调味料 黑麻油1大匙、米酒1大匙、盐1/4小匙

做法

1 猪胰洗净切片；猪腰切除白色结缔组织，以冷水及生姜3片浸泡，每5分钟换水、清洗、再泡水，约重复3～4次，再切成花刀，放入滚水中氽烫，捞起冲冷水后，浸泡在冷水中备用。

2 所有中药放入卤包袋中，加1500毫升的水，浸泡半小时，以大火煮滚，转小火煮约半小时，取药汁备用。

3 热锅，倒入黑麻油，放入2片姜片以中火爆香后，加入猪腰及猪胰翻炒数下，淋上米酒，加入药汁，大火煮滚后，加高丽菜片、雪白菇段，续以大火煮熟，加盐调味即可。

庄医师小叮咛

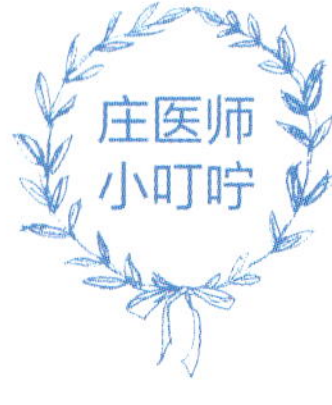

● 这道药膳汤中因有补筋骨的桑寄生和川七，所以煮出来的汤会略带苦味。此外，高丽菜可还以换成花椰菜和茼蒿。

食材

A 红枣5钱、天冬5钱、刺五加3钱

B 白毛鸭半只、新鲜莲子半碗、姜2片

调味料 黑麻油1又1/2大匙、米酒1大匙、盐适量

● 莲子有分新鲜的和干货，新鲜的算是食材，而干燥的则算中药材。

做法

1. 天冬、刺五加放入卤包袋中。
2. 白毛鸭切块，放入滚水中汆烫，取出备用。
3. 热锅，倒入黑麻油，放入姜片以中火爆香后，放入鸭肉，炒至水分略干。
4. 卤包袋、红枣放入电饭锅内锅中，倒入1500毫升的水，浸泡半小时，再放入炒好的鸭肉、莲子及米酒，外锅加2杯水，按下按键，煮至按键跳起，取出卤包袋，加入盐调味即可。

莲子补肾鸭

功效：滋养脏腑、养生抗老

美味指数：★★★
难易度：★
使用器具：汤锅+炒锅+电饭锅

首乌美颜鸭

功效：美颜淡斑、减少掉发

食材

A 蜜黄精5钱、何首乌2钱、荆芥1.5钱

B 白毛鸭半只、山药块1碗、姜2片

调味料 黑麻油1又1/2大匙、米酒1大匙、盐适量

做法

1 所有中药放入卤包袋中。

2 白毛鸭切块，放入滚水中汆烫，取出备用。

3 热锅，倒入黑麻油，放入姜片以中火爆香后，再放入鸭肉，炒至水分略干。

4 卤包袋放入电饭锅内锅中，倒入1500毫升的水，浸泡半小时，再放入炒好的鸭肉、姜片及米酒，外锅加1杯水，按下按键，煮至按键跳起，放入山药块，再加1杯水，按下按键，跳起，取出卤包袋，加入盐调味即可。

美味指数：★★★
难易度：★☆
使用器具：汤锅＋炒锅＋电饭锅

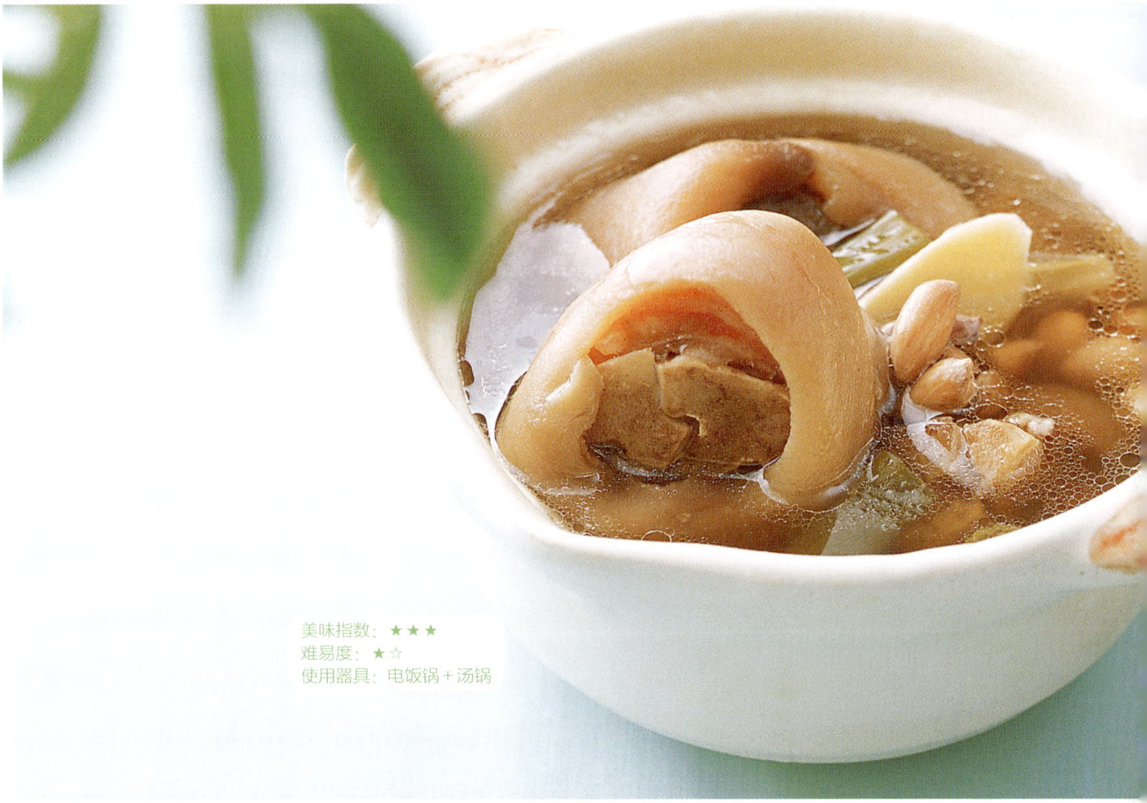

美味指数：★★★
难易度：★☆
使用器具：电饭锅+汤锅

花生炖猪脚汤

功效：补血通乳、滋补肝肾

食材

A 红小豆1两、天冬5钱、何首乌2钱、通草1.5钱、荷叶1.5钱

B 猪脚6两、花生半碗、葱段1根、姜3片

调味料 米酒1大匙、糖1/2小匙、盐1小匙

做法

1 所有中药放入卤包袋中，与花生一起放入电饭锅内锅中，再倒入1500毫升的水，先浸泡1小时。

2 猪脚切块，放入滚水中汆烫，取出备用。

3 猪脚、葱段、姜片、米酒和糖放入做法1的电饭锅内锅中，外锅加2杯水，按下按键，煮至按键跳起，稍凉，再加2杯水，跳起，取出卤包袋，加入盐调味即可。

● 花生煮之前要先泡水1小时，才容易熟。

羊肉补血汤

热量 326 卡/天

功效：补肾抗老、补血美颜

美味指数：★★★
难易度：★☆
使用器具：汤锅+电饭锅

食材介绍

胡桃 又称核桃，味甘，具补肾助阳、补肺止喘及润肠通便等功效，含蛋白质、脂肪、钙、磷、铁、胡萝卜素及维生素B_2等营养物质。可在干货店或是中药行买到。

食材

A 胡桃5钱、白芍3钱、女贞子3钱、川芎2钱

B 羊肉6两、白萝卜块1碗、葱段1根、姜3片

调味料 米酒1大匙、糖1/2小匙、盐1小匙

做法

1 所有中药放入卤包袋中。

2 羊肉切块，放入滚水中氽烫，取出备用。

3 卤包袋放入电饭锅内锅中，倒入1500毫升的水，浸泡半小时，再放入所有食材B、米酒及糖，外锅加2杯水，按下按键，煮至按键跳起，取出卤包袋，加入盐调味即可。

鳝鱼壮骨汤

热量 400卡/天

功效：补养脾肺、强筋壮骨

美味指数：★★★
难易度：★
使用器具：汤锅＋炒锅

食材

A 白扁豆5钱、麦冬3钱、鸡血藤1.5钱

B 鳝鱼6两、花椰菜块1碗、洋葱块半碗、葱段1根、姜3片

调味料

A 酱油1/4小匙、糖1/4小匙、米酒1/4小匙、太白粉少许

B 苦茶油1大匙、盐1/4小匙

做法

1 鳝鱼切块后，以酱油、糖及米酒腌10分钟，沾少许太白粉备用。

2 所有中药放入卤包袋中，加1500毫升的水，浸泡半小时，以大火煮滚，转小火煮约半小时，取药汁备用。

3 热锅，倒入苦茶油，放入姜片以中火爆香后，放入鳝鱼炒香，加入药汁，转大火煮滚后放入其余食材，煮熟，加盐调味即可。

食材介绍

鳝鱼 生鲜的鳝鱼现在多是养殖的，四季都可以买到，若要购买可到鱼市场或是大型的菜市场采买，挑选时看鱼身上是否有鲜红色的血水，如果有则表示是最新鲜的。

黄精润肤虾

热量 185 卡/天

功效：美颜淡斑、补肾养肺

美味指数：★★★
难易度：★☆
使用器具：汤锅＋炒锅

● 这道药膳用的虾，只要是新鲜的都可以，不一定非要用沙虾。中药材中的紫苏若可用新鲜的紫苏叶替换，则在做法4时放一起蒸即可。

食材

A 蜜黄精5钱、茯苓3钱、枸杞3钱、丹参1.5钱、桑叶1钱、紫苏1钱

B 沙虾4两、泡发百合半碗、姜3片

调味料 米酒1大匙、盐适量

做法

1 除枸杞和紫苏外，其余药材放入卤包袋中；紫苏放入另一个卤包袋备用。

2 取含蜜黄精的卤包袋，加1500毫升的水，浸泡半小时，以大火煮滚，转小火煮半小时，放入紫苏的卤包袋，熄火焖5分钟，取药汁备用。

3 沙虾用牙签挑除泥肠后洗净。

4 沙虾、百合、姜片、枸杞及米酒放入药汁中，再以大火蒸约8分钟，加盐调味即可。

食材

A 玉竹5钱、刺五加3钱、绿萼梅1.5钱

B 田鸡半斤、地瓜叶1两、葱段1根、姜3片

调味料 黑麻油1小匙、米酒少许、盐1小匙

做法

1 田鸡切块备用。

2 所有中药放入卤包袋中，加1500毫升的水，浸泡半小时，以大火煮滚后，转小火煮约半小时，取药汁备用。

3 药汁以大火煮滚后，放入田鸡、葱段、姜片、黑麻油及米酒，续以大火煮至田鸡熟后，加入地瓜叶煮滚后，加盐调味即可。

食材介绍

田鸡　市场有售卖已经处理好的田鸡，甚至还分切好的部位，供自行挑选。

玉竹田鸡汤

功效：补肾健脾、抗老化

美味指数：★★★
难易度：★
使用器具：汤锅

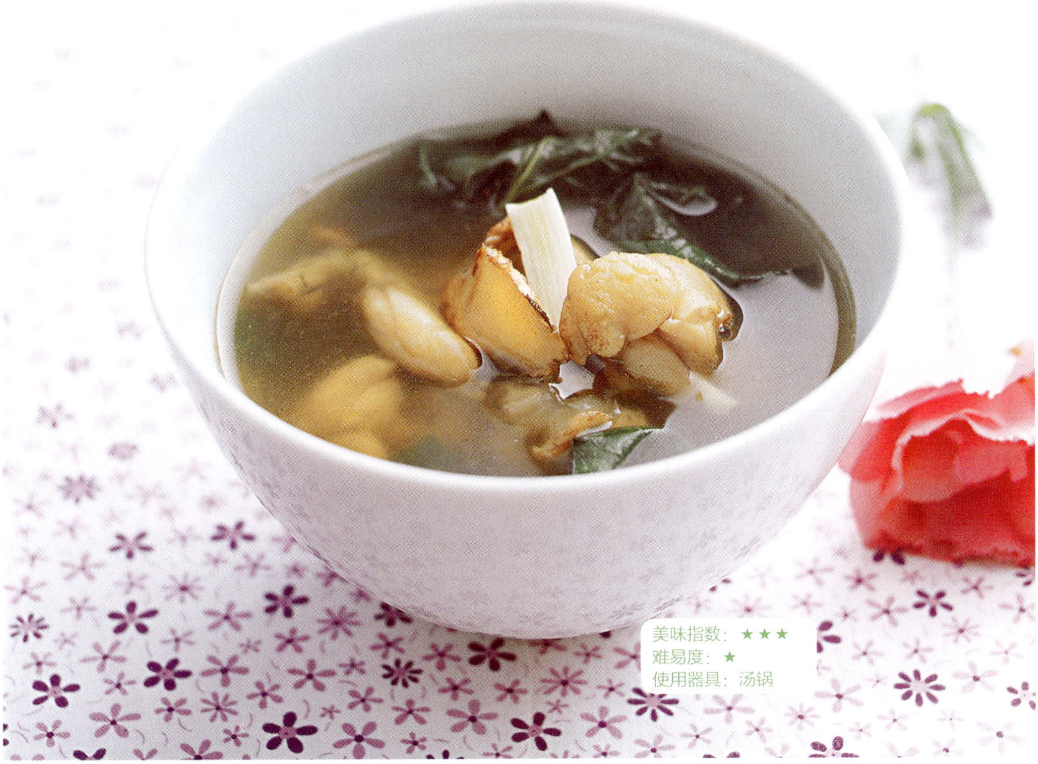

美味指数：★★★
难易度：★
使用器具：汤锅＋炒锅

红小豆鲢鱼汤

热量 391 卡/天

功效：窈窕塑身、增强抵抗力

食材

A 红小豆1两、黄芪3钱、麦冬3钱

B 鲢鱼半斤、柳松菇段半碗、姜2片

调味料 黑麻油1小匙、米酒1大匙、盐1/4小匙

做法

1 所有中药放入卤包袋中，加1500毫升的水，浸泡半小时，以大火煮滚，转小火煮约半小时，取药汁备用。

2 热锅，倒入黑麻油，放入姜片以中火爆香后，加入药汁、鲢鱼及米酒，煮滚后放入柳松菇片，大火煮熟，加盐调味即可。

食材

A 麦冬5钱、淮山5钱、葛根3钱、当归1.5钱、通草1.5钱

B 猪蹄6两、干无花果1个、栗子半碗、葱段1根、姜3片

调味料

糖1/2小匙、米酒1大匙、盐1小匙

做法

1 所有中药放入卤包袋中。

2 栗子用水泡软，以牙签挑除缝隙的杂质；猪蹄切块，放入滚水中汆烫，取出备用。

3 卤包袋放入电饭锅内锅中，倒入1500毫升的水，浸泡半小时，再放入所有食材B、糖及米酒，外锅加2杯水，按下按键，煮至按键跳起后，取出卤包袋，加入盐调味即可。

● 选用猪蹄时以肥肉较少的前腿为佳。

食材介绍

干无花果 干无花果常用在炖汤上，味道微酸甜，有通乳功效。

无花果炖猪蹄汤

热量 643 卡/天

功效：补气血、通乳汁

美味指数：★★★
难易度：★
使用器具：汤锅+电饭锅

Princess

Part 4

进入哺乳期的新妈咪

调理重点

分泌最优质的母乳，保持“饮食均衡、心情愉悦”最重要。

借由“补充肝、胃、肾的气血”及“促进循环的通乳药膳”，促进乳汁分泌的数量和质量。

饮食原则

- 饮食保持平和，勿偏寒冷或燥热。
- 多吃蛋白质及胶质含量丰富的食物。
- 1天补充2500毫升～3000毫升的水分，包含汤品在内。
- 多喝帮助发奶的药膳汤。

母乳喂养期间怎样吃

中医认为乳房分泌奶水是否充足，与部分脏腑经络的气血关系密切，其中以肝经、胃经、肾经三条经络对乳房影响最大。因为胃经及肾经通过乳房，而肝经则通过乳头，所以此三条经络若气血不足，或气血循环不顺畅，都会影响奶水分泌。气血虚弱或气血不顺的妈咪，可经由补充“肝经、胃经、肾经”的气血及促进循环的通乳药膳，提升奶水的质与量，也可避免停止哺乳后乳房萎缩下垂、胸型不美的后遗症。

重点1 饮食均衡，心情愉快

《本草纲目》将人乳称为“仙人酒”，认为其味甘、咸，性平和，具有益气养血、滋补五脏、补脑力、润泽肌肤的功效，可使小儿大脑壮壮，身体白白嫩嫩。人乳虽然是幼儿最佳食品，但书中也语重心长地叮咛妈咪，良好的身心，才能制造出最棒的奶水，因为“人乳无定性。其人和平，饮食冲淡，其乳必平。其人暴躁，饮酒食辛，或有火病，其乳必热。”所以想要分泌最优质的母乳，饮食均衡，勿偏寒冷或燥热，心情愉悦，是必要条件。

重点2 妈咪的情绪及饮食是影响母乳质量的关键

新妈咪在哺乳期间，若性情急躁易怒，本身就有上火反应，或喜欢吃辛辣烧烤油炸品，甚至烟酒不忌，所哺乳的奶水，就会使宝贝产生睡眠不稳、皮肤红痒、眼屎多、哭闹不休或便秘等火气过大症状；相反地，若新妈咪情绪低落，或喜

新妈妈的奶水是否充足，与部分肺腑经络的运行关系密切，尤其是肝经、胃经、肾经三条经络影响最大。本小节将为新妈妈介绍相关知识。

欢贪凉饮冷，不知保暖或纯素食的妈咪，就容易使婴儿成为时常感冒、吐奶、腹胀腹痛、排便稀软，吸收不良的寒宝宝。所以母亲的情绪与饮食状态，是影响母乳的重要因素。

重点3 适合哺乳期妈咪的中药材

哺乳期妈咪要有充足的奶水，除了常吃调养肝经、胃经、肾经气血的中药材，乳腺通畅也是重点，如桑葚入肝肾，滋阴补血；通草、王不留行籽使乳腺通畅；女贞子滋肾养阴；百合、枸杞滋阴补血，等等。

容易造成退奶的药材及食物有哪些？

在药书中明确记载会造成退奶的中药材只有生麦芽及神曲，至于民间或网络流传的退奶中药与食物，如人参、韭菜、竹笋、薄荷、菊花茶、木瓜、西瓜、雪梨、芦笋等，其中只有韭菜含少量退奶因子，大量食用，才会影响奶水量；其余并非含退奶因子，是因与体质不符，单独食用后，产生过寒或上火反应，引起奶水分泌不足。

例如气血虚弱的妈咪，若食用西瓜、雪梨、芦笋、梨、薄荷、菊花茶及部分瓜类，寒气入侵，就会使奶水分泌量大减；而火气大的妈咪，若单独食用人参、韭菜、十全大补汤等燥热药膳，可能导致身体过于干燥，无法制造母乳而退奶。唯有阴阳气血充沛，温补与凉补一同并进，才不会退奶。

母乳喂养期间应当知道的事

乳汁分泌的过程

在怀孕后期，大约在怀孕第25周左右，孕妇的乳房组织就开始制造母乳，部分准妈妈开始分泌少量的乳汁，到宝宝出生后，初乳就开始分泌，持续至产后5～7天。初乳质地浓稠，颜色较黄，含丰富的生长因子，营养素随着婴儿的需求而改变，是宝宝非常重要的养分，也是婴儿配方奶粉无法取代的天然营养，它的量虽然较熟奶少，但已足够喂饱新生儿。其含有丰富的抗体，是成熟乳的3～4倍，可预防病菌侵袭、健胃整肠、促进胎便的排出、减少新生儿黄疸发生的几率。

产后7～10天左右，初乳逐渐变成熟奶，内含抗体、免疫调节因子、蛋白质、核酸、脂肪、乳糖、维生素、酵素、矿物质与水分等养分，随后抗体逐渐减少。新妈咪一定要喂初乳给新生儿，持续1个月最佳，甚至可喂至半年。

喂母乳前的心理准备

准备1 第一个月宝宝几乎黏在身上

喂母乳虽然是一件很好的事，但新妈咪一定要有心理准备。一开始宝宝处在学习阶段，有时一次喂养超过1个小时，隔1～2小时又要喂，甚至第一个月会觉得宝宝几乎黏在自己身上，这让很多妈咪因此而放弃。只要持续喂，奶水

喂母乳虽然对宝贝益处多多，但是新妈咪也要做好一定心理准备。比如适应一开始阶段宝贝哺乳时间过长，防止出现涨奶及退奶的状况等。

会愈来愈多，当然宝宝也要缩短吸奶时间，15～30分钟就会吸入足够的奶量。所以，有心喂母乳的妈咪，一定要撑过这段辛苦的时期。

准备2 涨奶

若涨奶很严重，让宝宝直接吸效果最好，或是以吸奶器吸出奶水，使乳腺保持通畅，减轻乳房压力和缓解疼痛。最好是一有涨奶就赶快处理，不然愈久会愈难处理，甚至还会造成乳腺炎。

退奶可以这样做

想要退奶，不可再喂奶或用吸奶器将奶水吸出，可以喝退奶饮品，但不要大量喝水。疼痛严重时，可请医师开退奶止痛药物，加速退奶、缓解疼痛。这里有一帖退奶茶方。

退乳麦茶

食材：生麦芽1.5两、炒麦芽1.5两、丹参3钱、郁金3钱、川楝子3钱、延胡索3钱、神曲2钱。

做法：放入所有食材，加3碗水，浸泡半小时，以大火煮滚转小火，熬煮至剩半碗，当茶饮用，吃到不痛为止。

功效：退奶、活血行气、消涨止痛，改善乳房肿胀。

成功的母乳喂养这样做

喂母乳虽然很辛苦，
但只要掌握一些技巧，新妈咪就会很快上手。

1 尽早哺喂母乳

在怀孕后期，新妈咪的乳房组织已经在制造母乳，所以当宝贝出生后，要让他尽早吸吮乳房，可刺激母乳分泌、促进子宫收缩。在产台上就让宝宝吸妈妈的乳头，或是产后第一天就开始喂。

2 有信心，保持心情愉快

事实上，99％的妈咪都可以喂母乳，成功的关键是在于妈咪本身的信心与决心，只要能相信自己，就会成功。母乳的分泌量会受妈咪心情影响很大，只要放松心情，量就会增加；相对地，如果妈咪压力很大，量就会减少。

提醒妈咪们千万不要因为一开始没有奶水就放弃了，大部分的妈咪，特别是第一次喂母乳，一开始的量都很少，奶水量变多都是在第二周以后，所以只要有心，一定会成功。

母乳喂养是新妈妈赐予宝贝最好的礼物。当然，不是每个新妈咪都可成功地喂母乳。只要按照正确的步骤和要求，新妈咪在坐月子期间就能实现成功哺乳。

3 随时喂

利用坐月子期间让宝宝直接吸母乳，是刺激乳汁分泌、提高产奶量的最好方法。直接吸可刺激妈咪脑下垂体分泌，达到增加母乳分泌的效果。妈咪的身体很神奇，会配合宝宝吸乳量的多寡来增加或减少奶量，宝宝吸得愈干净，乳汁的量也会逐次增加。

对于刚出生的宝宝，只要有需要就喂母乳，没有时间的限制，每天至少会喂8～12次，新妈咪可利用半夜母乳分泌量高的时间喂。虽然很辛苦，但只要掌握出生时的黄金训练期，努力喂奶，奶量会愈来愈多。多喂，也可以减少涨奶的不舒服。

4 补充足够的营养和水分

母乳的成分主要就是水分，新妈咪一天至少要补充2500毫升～3000毫升的水分。坐月子期间，可以多喝汤类来补充水分和营养。此外，还可以多吃含有丰富胶质和蛋白质的食物，像猪脚、鱼肉、羊肉等，都是很好的食物。

5 足够的休息

睡眠不足或是疲倦会减少乳汁的分泌量，想要有充足的睡眠，新妈咪最好学会躺着直接喂，除了不会腰酸背痛，半夜可以边喂边睡，补充睡眠。

市售饮品综合品评

品名	庄医师评分	详细说明及建议
豆浆	★★★★★	豆浆属性平和，是营养成分丰富的发奶饮品，可单独食用。为避免诱发过敏，建议隔日食用。
米浆	★★★★★	米浆是属性平和的发奶饮品，营养成分佳，可单独食用。为避免喝太多发胖，建议隔日食用。
黑豆浆	★★★★	黑豆浆属性平和，营养成分与豆浆相似，具有清热解毒及促进水分排出的功效，适合四肢浮肿、容易腹泻的妈咪。容易便秘者应与牛奶花生、白木耳、莲藕汤等一同食用。为避免诱发过敏，建议隔日食用。
红豆汤	★★★★	属性平和、营养成分佳，可以补血消肿，促进水分排出，适合四肢浮肿、容易腹泻的妈咪。容易便秘者应与鲜奶、白木耳、莲藕汤等一同食用。
黑豆茶	★★★★	属性平和、营养成分佳，建议隔日食用。具有清凉滋润、清热解毒及促进水分排出的功效，适合四肢浮肿、容易腹泻的妈咪。容易便秘者应与牛奶花生、白木耳、莲藕汤等一同食用。
牛奶花生	★★★★	牛奶花生汤营养丰富，但属性偏凉，建议隔日食用，食用时可与温性的黑芝麻糊一同食用。
五谷浆	★★★	营养成分佳，但每种谷类的属性不尽相同，因比例不同，五谷浆的属性就不同。为避免过敏，建议隔日食用。

市面上贩卖的饮品是最方便的补充水分来源，但你知道这些饮品怎么喝最好呢？不妨看看庄医师的专业分析。

品名	庄医师评分	详细说明及建议
鲜奶	★★★	营养成分佳，但属性偏凉，适合排便不畅的妈咪。容易胀气腹泻者，可与莲子汤一同食用，但为避免诱发过敏，建议隔日食用，对鲜奶过敏者可用酸奶取代。
黑芝麻糊	★★★	温热补品，营养成分佳，但属性偏热，不可单独食用，应和鲜奶一同食用，以免上火。
薏仁浆	★★	属性偏凉，会促进水分排出，不可单独食用，应和黑芝麻糊、豆浆一同食用，以免太冷，过度利尿，使奶水不足。
燕麦浆	★★	温暖的补品，营养成分佳，不可单独食用，应和鲜奶一同食用，以免上火。过敏体质者不宜天天服用，一周食用2次为宜。
黑麦汁	★	大麦芽的发酵饮品，为避免退奶，建议喂母乳的妈咪最好勿喝。
珍珠奶茶	★	含咖啡因，且热量高，容易发胖，不适合哺乳期妈咪食用。

常见的有发奶效果的食材

紫山药、核桃、黑芝麻、紫米、虾仁及栗子补肝养血、补肾益气；地瓜、芋头健脾和胃，滋补肝肾；糯米温暖脾胃；小米健脾和胃、滋补肾气等。

坐月子期间最佳饮食

燥热体质

① 田鸡肉

性味甘、咸、凉，具有补气血、润肺益肾及养阴通乳等功效，蛋白质含量丰富，而脂肪含量低，可以借由补气血增加母乳量，还可改善疲劳、提升体力及增强抵抗力。

② 丝瓜

性味甘、凉，因水分含量丰富又名水瓜。一般认为其性冷会退奶，事实上它有养阴润燥、安胎通乳的效果，若与温性食物一同食用，如鸡肉、牛肉，就能阴阳双补，提升母奶的质与量。除有发奶功效外，还可帮助妈咪恢复身材、滋润皮肤，是很好的坐月子食材。

③ 茭白

性味甘、凉，也是属性比较冷的食材，但事实上可以滋阴补血，进而增加奶水量，还可保持乳腺畅通，避免乳腺堵塞或发炎。另外，能使妈咪心情愉悦不浮躁，而心情愉快也是促进乳汁分泌的良方。

传统观念认为蔬菜、水果性寒，月子期间要少吃。这种认知其实是不对的，只要根据个人体质，选对蔬果，就可以享用蔬果的美味，补充足够的纤维质。

虚冷体质

④ 羊肉

性味甘、热，具有温补肾气、补血通乳的功效，能达到增加乳汁分泌的效果，特别适合体质虚冷的妈咪食用。有口干舌燥或容易便秘体质的妈咪，应将羊肉与凉性食材，如豆腐、地瓜叶、草莓等一起食用，才不会影响乳汁质量。

一般体质

5 青木瓜

性味平、甘、微酸，具有丰胸通乳、健运脾胃等功效。青木瓜含丰富的木瓜酵素、氨基酸及维生素A等，能促进女性荷尔蒙分泌、通畅乳腺、增加奶水分泌量、维护胸型。除了发奶外，还可帮助消化。

6 鲈鱼

性味甘、淡、平，具有补益肾气、补血安胎、消水肿、促进水分代谢及健运脾胃等功效，可借由益气补血，增强肠胃吸收而提升母乳量，还可促进代谢、恢复窈窕身材，是胎前产后的补身妙品。

7 鲤鱼

性味甘、平，具有通畅乳腺、生津止渴、健胃整肠、止咳止呕、利水消肿、清热解毒等功效，可以补养气血，增强肠胃吸收而提升母乳量，还可使乳房气血循行顺畅，顺利排出乳汁，避免乳腺发炎，是胎前安胎、产后通乳的补身妙品。

8 猪脚、猪尾、猪肉、猪骨

性味甘、咸、平，具有补养气血、滋阴润燥、通畅乳腺、促进乳汁分泌等功效，含丰富的胶质、微量元素及维生素，是产后的优良补品，但胆固醇及脂肪含量较高，应尽量选择瘦肉食用。

9 红豆

性味甘、酸、平，又名红小豆，具有补血、健脾、去湿气、消肿的功效，在坐月子期间常做成甜点食用。在补血的过程中，可增加乳汁分泌，所有体质妈咪都可食用，尤其对血虚湿重体质的妈咪更是滋补妙品。

10 无花果

性味甘、平，具有补脾益肺、通畅乳腺等功效，可促进肠胃吸收，促使母乳分泌量增加，并能让乳房气血循行顺畅，顺利排出乳汁，避免乳腺发炎。除此之外，还有滋阴润喉、润肠通便、解毒抗菌及增强抵抗力的功效。

注：妈咪的体质可参见附录“认识自己的体质”。

奶量突然减少怎么办

1.月经来潮

庄医师解说 女性的乳汁及经血，都是由体内的气血津液所化生。在上分泌为乳汁，在下则化生为经血。一般而言，在哺乳期间，生理上为维持妈咪健康，不流失过多身体营养，是不会来月经的，待退奶后逐渐恢复正常周期。尚在喂奶期，如果经期就突然来潮，奶水分泌就会变少。

解决办法

根据月经周期配合月经期的发奶茶品，可补充阴阳气血，使经血排出顺畅，奶水分泌正常。

月经前期 当归玫瑰茶 / 1天份

- **食材**：玫瑰花6朵、玉竹3钱、当归1.5钱、川芎1.5钱、通草0.5钱。
- **做法**：所有中药分为2份，每次取1份装入卤包袋中，放于保温杯中，加300毫升的滚水冲泡，焖约5分钟，时时饮用，可回冲1次。
- **饮用时机**：经期第1～3天。

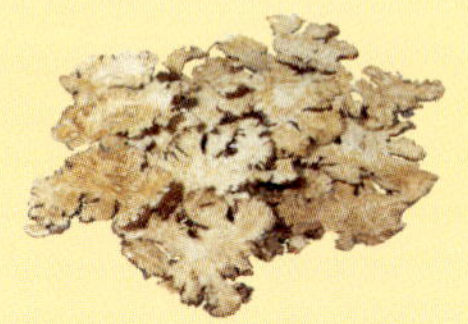

很多妈妈们会因感冒、月经来潮或压力大，而突然奶量减少，应率先找到原因，强壮身体，奶水才会恢复正常；病因未去除前，千万不要自行服用坊间流传的快速发奶方。

月经后期 收缩发奶茶 / 1天份

- **食材：**枸杞5钱、女贞子3钱、茯苓3钱、旱莲草1.5钱、茜草1钱、艾叶1钱、通草0.5钱。
- **做法：**所有中药分为2份，每次取1份装入卤包袋中，放于保温杯中，加300毫升的滚水冲泡，焖约5分钟，时时饮用，可回冲1次。
- **饮用时机：**经期第4天开始饮用到月经结束。

小心！市售或网络流传的发奶茶

想要给宝贝营养丰富且足量的奶水，妈咪需要有气血充沛、阴阳调和的身体，笔者曾评估网络上流传的快速发奶配方，不外乎是四物汤加黄芪、党参等中药的加减方，大部分配方属性偏燥热，缺乏清凉滋润的发奶中药，并非适合所有的产妇。想要有优质且丰富的奶水，新妈咪应请教专业中医师，量身定做专属的发奶配方，才是最有效的方法。

SOS!

2.感冒

庄医师解说　当感冒病毒入侵后，体内气血为抵抗病毒而去作战，气血虚弱的妈咪可能造成奶量减少，因此应先治疗感冒，搭配喝抗感冒茶品，待痊愈后再喝发奶茶品来快速恢复奶水量。

解决办法

紫苏薄荷茶 / 1天份

- **功效：**去寒清热、减轻感冒不适症状。
- **食材：**紫苏3钱、薄荷3钱。
- **做法：**所有中药分为3份，每次取1份装入卤包袋中，放于保温杯中，加300毫升的滚水冲泡，焖约5分钟，时时饮用，可回冲1次。
- **特别配方：**若伴随发热或咽喉疼痛，可加薄荷至5钱；若有怕冷或拉肚子，可加紫苏至5钱。

SOS! 3.压力大

庄医师解说　中医认为压力过大的妈妈，会因情绪郁闷影响乳房气血及经络的循环，造成乳汁突然分泌不顺畅，因此抒解郁闷，使气血流通顺畅，就成为恢复奶量的关键。

解决办法1

首乌茉莉茶 / 1天份

- **食材：** 何首乌3钱、麦冬3钱、合欢花1.5钱、王不留行籽1.5钱、菟丝子1钱、茉莉花1钱。
- **做法：** 所有中药分为2份，每次取1份装入卤包袋中，放于保温杯中，加300毫升的滚水冲泡，焖约5分钟，时时饮用，可回冲1次。

解决办法2

穴位按摩

少泽穴

- **位置：** 手背向上，小指外侧指甲根部，旁开约0.1寸。
- **功效：** 清凉滋润、通乳丰胸、补充体液。
- **治疗症状：** 产后乳汁过少及乳房发育不良、乳腺发炎等一般乳房疾病。

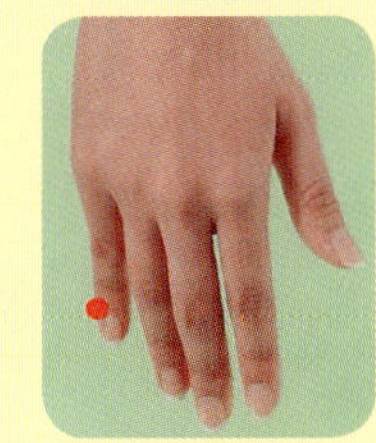

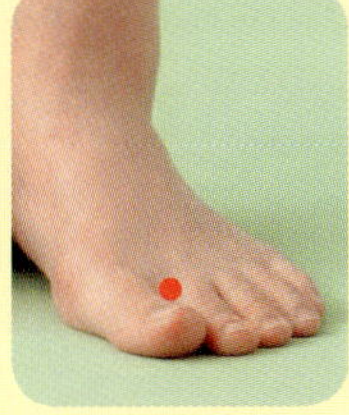

太冲穴

- **位置：** 在足背第一、二趾缝后方约一寸半。
- **功效：** 活血行气、增强抗压性、为解郁抒压的常用穴。
- **治疗症状：** 压力大、心情郁闷、烦躁易怒、乳房胀痛、头痛口苦等症。

帮助新妈咪发奶的 12道养生药膳汤与粥品

刺五加鲈鱼汤

功效：补气养血、通畅乳汁、消水肿

食材

A 红小豆1两、刺五加3钱、女贞子3钱、通草1钱

B 鲈鱼1条（约6两）、冬瓜块1碗、姜2片

调味料 黑麻油1小匙、米酒1大匙、盐1/4小匙

做法

1 鲈鱼切块备用。

2 所有中药放入卤包袋中，加1500毫升的水，浸泡半小时，以大火煮滚，转小火煮约半小时，取药汁备用。

3 热锅，倒入黑麻油，放入姜片以中火爆香后，加入药汁及冬瓜块，煮滚后放入鲈鱼及米酒，大火煮至滚沸使鱼肉熟透、酒精挥发，加盐调味即可。

美味指数：★★★
难易度：★☆
使用器具：汤锅＋炒锅

原本就奶水不足的妈妈，或因过于忙碌、睡眠不足等因素，造成身体虚弱、奶量更不足，均可食用下列发奶药膳汤，经由“滋补气血”“养阴滋润”来促进奶水分泌，从坐月子第二周开始食用，适用于所有体质的妈咪。

食材

A 麦冬5钱、何首乌3钱、当归1.5钱、通草1钱

B 小排骨6两、青木瓜块1碗、黑枣5个、姜5片

调味料 米酒1大匙、黑麻油1小匙、盐适量

做法

1 所有药材放入卤包袋中。

2 小排骨以滚水汆烫后，取出备用。

3 卤包袋放入电饭锅内锅中，倒入1500毫升的水，浸泡半小时，再放入所有食材B、米酒及黑麻油，外锅加2杯水，按下按键，煮至按键跳起。稍凉，再加1杯水，按下按键，跳起，取出卤包袋，加入盐调味即可。

食材介绍

青木瓜 木瓜是水果，而未成熟的青木瓜则很适合做料理；可到蔬菜摊、大型超市或是大卖场购买，挑选时要找外表为深绿色的，较好吃且耐煮。

青木瓜排骨汤

热量 595 卡/天

功效：强心补血、黑发通乳

美味指数：★★★
难易度：★☆
使用器具：汤锅+电饭锅

天冬猪蹄汤

热量 612卡/天

功效：补肾通乳、强壮骨骼

美味指数：★★★
难易度：★
使用器具：汤锅＋电饭锅

食材

A 天冬5钱、淮山5钱、红枣5钱、王不留行籽1钱

B 猪蹄半斤、猪尾块1碗、高丽菜片1碗、干无花果2个、姜3片

调味料 米酒1大匙、黑麻油1小匙、盐适量

做法

1. 除红枣外，其余药材放入卤包袋中。
2. 猪蹄和猪尾一起以滚水汆烫后，取出沥干。
3. 卤包袋及红枣放入电饭锅内锅中，倒入1500毫升的水，浸泡半小时，再放入所有食材B、米酒及黑麻油，外锅加2杯水，按下按键，煮至按键跳起。稍凉，再加2杯水，按下按键，跳起，取出卤包袋，加入盐调味即可。

鲍鱼海鲜汤

热量 204 卡/天

功效：补肺强肾、补血通乳

美味指数：★★★
难易度：★★
使用器具：汤锅+炒锅

食材

A 黑豆5钱、黄芪3钱、桑葚2钱、紫苏1钱

B 小章鱼2两、虾仁2两、鲍鱼1粒、莴苣丝1碗、玉米笋片半碗、姜3片

调味料

A 盐1小匙、米酒1大匙

B 苦茶油1小匙、盐适量

做法

1 鲍鱼切片；小章鱼、虾仁以盐及米酒腌10分钟，备用。

2 除紫苏外，其余药材放入卤包袋中，倒入1500毫升的水，浸泡半小时。放入鲍鱼，以大火煮滚，转小火煮约半小时，再放入紫苏，熄火焖约5分钟，取药汁及鲍鱼备用。

3 热锅，倒入苦茶油，放入姜片以中火爆香后，加入药汁及鲍鱼，大火煮滚后放入玉米笋、墨鱼及虾仁，大火煮熟，加莴苣丝煮熟，加盐调味即可。

食材介绍

小章鱼 小章鱼是章鱼的幼型，一般市面上比较不容易买到，可在大型的传统市场、大卖场和超市买到，选购时要特别闻一闻，看是否有严重的腥味，若有表示不新鲜。

羊肉豆腐汤

热量 505 卡/天

功效：大补气血、通畅乳汁

食材

A 红枣5钱、天冬5钱、川芎2钱、王不留行籽1钱

B 羊肉片6两、板豆腐1块、茭白笋块1碗、葱段1根、姜3片

调味料 米酒1大匙、白麻油1大匙、盐1小匙

做法

1. 豆腐切块。
2. 除红枣外，其余中药放入卤包袋，加入红枣及1500毫升的水，浸泡半小时，放入豆腐，以大火煮滚，转小火煮约半小时，取出卤包袋。
3. 药汁转大火，放入茭白笋块，煮熟后加入羊肉片、葱段、姜片及米酒，再次煮至滚沸使肉片煮熟、酒精挥发，加盐调味，淋上白麻油即可。

美味指数：★★
难易度：★
使用器具：汤锅

补血田鸡汤

功效：养肝明目、滋阴通乳

食材

A 褚实子5钱、石斛5钱、通草1钱

B 田鸡半斤、小白菜段1碗、姜3片、九层塔适量

调味料 黑麻油1小匙、盐1小匙

做法

1 田鸡切块备用。

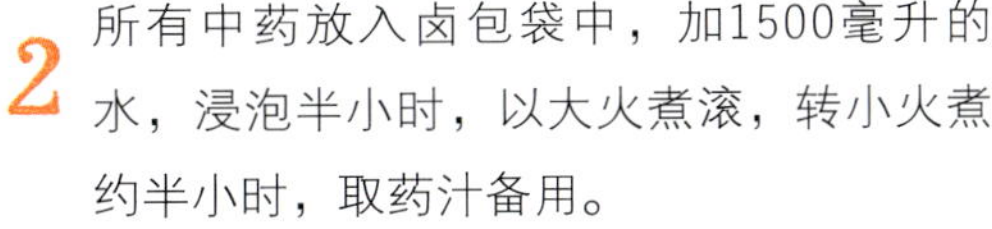

2 所有中药放入卤包袋中，加1500毫升的水，浸泡半小时，以大火煮滚，转小火煮约半小时，取药汁备用。

3 热锅，倒入黑麻油，放入姜片以中火爆香后，加入药汁及田鸡，以大火煮至田鸡熟后，加入小白菜段、九层塔煮熟后，加盐调味即可。

首乌鲤鱼汤

热量 387 卡/天

功效：补血强心、气阴双补

食材

A 炙甘草5钱、玉竹5钱、何首乌2钱、佛手1.5钱

B 鲤鱼6两、油豆腐4块、茭白笋块半碗、姜2片

调味料 苦茶油1大匙、米酒1大匙、盐1/4小匙

做法

1 鲤鱼切大块备用。

2 所有中药放入卤包袋中，加入1500毫升的水，浸泡半小时，以大火煮滚，转小火煮约半小时，取药汁备用。

3 热锅，倒入苦茶油，放入姜片以中火爆香后，加入茭白笋块翻炒数下，加入药汁及油豆腐，以大火煮滚后放入鲤鱼及米酒，续大火煮至滚沸使鱼肉熟透、酒精挥发，加盐调味即可。

天麻鸡汤

热量 411卡/天

功效：强身抗老、益智健脑

食材

A 红小豆5钱、女贞子5钱、野生天麻1.5钱、川七1钱、王不留行籽1钱

B 棒棒鸡腿2只、鸡翅2只、干金针菇1碗、黑木耳块1碗、泡软竹笙1条、姜3片

调味料

A 盐少许、白醋少许

B 米酒1大匙、盐适量、香油适量

做法

1 所有中药放入卤包袋中。

2 金针菇倒入盖过的水量，泡至涨开；鸡腿及鸡翅切成块状，一起放入滚水中氽烫，取出；竹笙剪去蒂端后，放入冷水中泡软，切块，放入加盐和白醋的滚水中氽烫，取出备用。

3 卤包袋放入电饭锅内锅中，倒入1500毫升的水，浸泡半小时，再放入所有食材B及米酒，外锅加2杯水按下按键，煮至按键跳起，取出卤包袋，加入盐调味，滴上香油即可。

三宝鸭肉汤

热量 808卡/天

功效：滋阴润燥、补血黑发

食材

A 何首乌3钱、女贞子3钱、白芍3钱、通草1钱

B 白毛鸭半只、干栗子半碗、泡发的海参1条、姜4片

调味料 黑麻油1又1/2大匙、米酒1大匙、盐适量

做法

1 所有中药放入卤包袋中。

2 栗子用水泡软，以牙签挑除缝隙的杂质；白毛鸭切块；海参从中间剖开，去除泥肠，切块，两者分别放入滚水中汆烫，取出备用。

3 热锅，倒入黑麻油，放入姜片以中火爆香后，再放入鸭肉，炒至水分略干。

4 卤包袋放入电饭锅内锅中，倒入1500毫升的水，浸泡半小时，再放入炒好的鸭肉、其余食材B及米酒，外锅加2杯水，按下按键，煮至按键跳起，取出卤包袋，加入盐调味即可。

蹄筋羹

热量 636卡/天

功效：润肤淡斑、强筋骨、通乳汁

美味指数：★★★
难易度：★★
使用器具：汤锅+炒锅

食材

A 牛乳埔5钱、蜜黄精5钱、白芍2钱、通草1钱

B 泡好蹄筋1碗、猪肉丝3两、鲜香菇丝半碗、青木瓜丝半碗、虾米1大匙、蒜片3粒、葱段2根、香菜适量

调味料 黑麻油1大匙、米酒1大匙、盐1小匙、糖1/2小匙、太白粉水适量、乌醋适量

做法

1 所有中药放入卤包袋中，加1500毫升的水，浸泡半小时，以大火煮滚，转小火煮约半小时，取药汁备用。

2 热锅，倒入黑麻油，放入蒜片及葱段，以中火爆香后，依序加入虾米、香菇丝、青木瓜丝、猪肉丝、蹄筋及米酒，微炒至香味出后，加入药汁，大火煮滚后，加盐、糖调味后，再以太白粉水勾薄芡，滴上乌醋及撒上香菜即可。

食材介绍

蹄筋 可用干货或是已经泡好的都可以，可自行选择。

半筋半肉牛肉汤

热量 878 卡/天

功效：健脾养胃、补血通乳

美味指数：★★★
难易度：★☆
使用器具：汤锅＋电饭锅

食材

A 枸杞1两、白扁豆5钱、玉竹5钱、当归1.5钱、王不留行籽1钱

B 牛筋4两、牛肉4两、山药块1碗、葱段1根、姜3片

调味料 米酒2大匙、酱油1大匙、糖1小匙、苦茶油1大匙、盐2小匙

做法

1 除枸杞外，其余中药放入卤包袋中。

2 牛筋、牛肉切块，放入滚水中汆烫，取出备用。

3 卤包袋放入电饭锅内锅中，倒入1500毫升的水，浸泡半小时，再放入除山药外的食材B、米酒、酱油、糖、苦茶油，外锅加2杯水，按下按键，煮至按键跳起，加入山药块，再加1杯水，按下按键。跳起后，取出卤包袋，加入枸杞及盐，焖约5分钟即可。

鳕鱼丝瓜粥

热量 1088卡/天

功效：补养肺肾、滋阴明目、美肤消肿

美味指数：★★★
难易度：★★
使用器具：电饭锅＋炒锅

食材

A 枸杞1两、党参3钱、女贞子3钱、通草1钱

B 白米1杯、鳕鱼片半碗、丝瓜片2碗、干贝2粒、豌豆荚段半碗、蒜片1粒

调味料 米酒1小匙、黑麻油1/2大匙、盐适量

做法

1 党参、女贞子、通草放入卤包袋中。

2 干贝放入碗中，加入米酒及盖过干贝的水，放入电饭锅中，外锅加半杯水，按下按键，跳起，取出放凉后，剥丝备用。

3 白米洗净后沥干水分，加7杯水，放入卤包袋，浸泡半小时后，放入电饭锅中，加入干贝丝，外锅加1杯水，按下按键，煮至按键跳起，取出卤包袋。

4 热锅，倒入黑麻油，放入蒜片以中火爆香后，放入丝瓜片及豌豆荚，大火炒熟后，加入煮熟的粥、鳕鱼片、干贝及枸杞，煮熟后加盐调味即可。

帮助新妈咪发奶的10道养生药膳粥与甜品汤

桂圆银耳汤

功效：补心血、滋肺阴、健脾养胃

食材 桂圆1两、桑葚5钱、通草1钱、泡软野生白木耳半碗、新鲜莲子半碗

调味料 冰糖适量

做法

1 桑葚与通草放入卤包袋，加1000毫升的水，浸泡半小时，以大火煮滚，转小火熬煮半小时。

2 取出卤包袋，加入白木耳及莲子，煮熟后加入桂圆及冰糖，煮滚，熄火焖约5分钟即可。

美味指数：★★★
难易度：★
使用器具：汤锅

- 白木耳最好买野生的，以免买到添加二氧化硫的黑心白木耳。
- 煮莲子的方法为放入电饭锅中，外锅加2杯水，按下开关键，跳起焖半小时，即可。

本单元设计的甜汤所有体质妈咪都能饮用。里面用到的煮熟食材，像红豆、花生、大红豆、糙米可以一次做多一点，每次取需要的量。600克的上述食材加盖过的水浸泡4小时，倒掉，再加800毫升的水放入电饭锅内锅，外锅加2杯水，煮至跳起即可。

山药红豆牛奶汤

功效：滋阴养血、补肾通乳

食材

A 天冬1两、谷芽5钱

B 山药丁1碗、熟红豆1碗、温牛奶200毫升

调味料 蜂蜜适量

做法

1 所有中药放入卤包袋中，加1000毫升的水，浸泡半小时，以大火煮滚，转小火熬煮半小时，取药汁备用。

2 药汁中加入山药块及红豆，煮滚后焖约10分钟，稍凉加蜂蜜及牛奶拌匀即可。

南瓜花生汤

热量 951 卡/天

功效：补肝肾、抗衰老、清热解毒

食材 枸杞1两、南瓜丁1碗、蒸软花生半碗、蒸软薏仁半碗

调味料 果糖适量

做法

1. 南瓜丁放入滚水中，以中大火煮约10分钟，取出沥干备用。
2. 锅中加1000毫升水，放入南瓜丁、花生及薏仁，以大火煮滚，加入枸杞及果糖，再次煮滚，即可。

美味指数：★★★
难易度：★
使用器具：汤锅

庄医师小叮咛

● 南瓜虽然是发物，但吃下的量只要控制在每天一碗，不是天天吃，就不会有影响，而且南瓜营养丰富，吃了对身体有帮助。

地瓜百合汤

热量 606卡/天

功效：滋阴补气养血

● 新鲜百合不容易买到，建议可以在市场或是超市买真空包装。中药的百合具有滋阴润肺的功效，新鲜的百合也有相同的效果。

食材

A 枸杞1两

B 新鲜百合1碗、地瓜丁1碗

调味料 果糖适量

做法

1 地瓜丁放入滚水中，以中大火煮约10分钟，取出沥干备用。

2 锅中加1000毫升的水，放入百合，以大火煮滚，加入地瓜丁及枸杞，熄火焖约5分钟，加果糖调味即可。

红枣薏仁小米粥

热量 906 卡/天

功效：健脾胃、补气血、消水肿

美味指数：★★★
难易度：★
使用器具：电饭锅

食材

A 红枣1两

B 小米半杯、白米1/4杯、糯米1/8杯、蒸软薏仁半碗

调味料 蜂蜜适量

做法 所有食材除薏仁外，加4杯水，浸泡半小时，放入电饭锅中，外锅加1杯水，按下按键，煮至按键跳起，放入薏仁，稍凉加入蜂蜜即可。

椰浆西米露

热量 921 卡/天

功效：补养脾胃、滋阴养血

食材 西谷米1碗、芋头块半碗、熟大红豆半碗、椰浆1罐

调味料 冰糖适量

做法

1 西谷米倒入1000毫升的滚水中，以中火边煮边搅拌，煮至全部浮起，再续煮5分钟，熄火，加盖焖5分钟即可，捞起冲冷水沥干。

2 芋头块放入滚水中，以中大火煮约10分钟，取出沥干备用。

3 锅中放入芋头块、熟大红豆及1000毫升的水，以大火煮滚，转小火煮熟，加入西谷米及椰浆，煮滚后熄火，加入冰糖调味即可。

● 熟大红豆若不想自己做，可到超市买现成的。

莲藕芝麻糊

热量 325卡/天

功效：补肾黑发、美颜淡斑、润肺化痰

美味指数：★★★
难易度：★
使用器具：-

食材 热米浆250毫升、黑芝麻粉1/4小匙、黑豆粉1大匙、南杏仁粉1/2小匙、莲藕粉1大匙、南瓜子5颗

做法

1 南瓜子压碎备用。

2 黑芝麻粉、黑豆粉、南杏仁粉及莲藕粉，加少量冷水调匀后，加入热米浆拌匀，撒上南瓜子即可饮用。

食材介绍

莲藕粉 莲藕粉可直接泡来食用，具生津止渴、健脾养胃的功效，是食材也是中药材。若要购买可到超市、卖五谷杂粮的传统市场或有机店选购。

枸杞紫米粥

热量 612卡/天

功效：补肝肾、黑发通乳、抗衰老

食材

A 枸杞1两、桑葚5钱

B 白米半杯、紫米1/8杯、山药丁1碗

调味料 蜂蜜适量

做法

1 桑葚放入卤包袋中。

2 紫米洗净后沥干水分，加4杯水，先浸泡约4小时后，再放入卤包袋及洗净的白米，在浸泡约半小时，放入电饭锅中，外锅加1杯水，按下按键，煮至按键跳起，取出卤包袋，再加入山药丁、枸杞，再加1杯水，按下按键。跳起后，稍凉，加入蜂蜜即可。

美味指数：★★★
难易度：★
使用器具：电饭锅

山药核桃糊

热量 359 卡/天

功效：滋阴补肾、强壮膀胱、美颜淡斑

食材 热豆浆250毫升、核桃1大匙、山药粉1大匙、薏仁粉1大匙、黑芝麻粉1/4小匙

调味料 冰糖少许

做法

1 核桃压碎备用。

2 山药粉、薏仁粉及黑芝麻粉，加少量冷水调匀后，加入热豆浆及冰糖拌匀，撒上核桃即可饮用。

美味指数：★★★
难易度：★
使用器具：－

腰果糙米糊

热量 362 卡/天

功效：补血滋阴、调养肝肾、益智健脑

食材

A 蜜黄精5钱、何首乌2钱

B 紫山药丁1碗、煮熟糙米1/3碗、腰果1大匙

调味料 蜂蜜适量

做法

1 蜜黄精及何首乌放入卤包袋中，加800毫升的水，浸泡半小时，以大火煮滚，转小火煮半小时，取药汁放凉备用。

2 山药丁放入滚水中氽烫，取出备用。

3 所有食材B及药汁放入果汁机中，搅拌均匀，倒出，加蜂蜜即可饮用。

美味指数：★★★
难易度：★☆
使用器具：汤锅＋果汁机

帮助新妈咪发奶的5道养生饮品

首乌茉莉茶 热量 0 卡/天

功效：补肺养肝、滋阴清热、舒缓压力

食材 蜜黄精5钱、何首乌3钱、党参3钱、茉莉花1.5钱、通草0.5钱

做法 所有食材分为2份，每次取1份装入卤包袋中，放于保温杯中，加300毫升的滚水冲泡，焖约5分钟，时时饮用，可回冲1次。

枸杞桂花茶 热量 40 卡/天

功效：补肾明目、养胃通乳

食材 枸杞5钱、女贞子3钱、王不留行籽1.5钱、桂花1钱、淫羊藿1钱

做法 所有食材分为2份，每次取1份装入卤包袋中，放于保温杯中，加300毫升的滚水冲泡，焖约5分钟，时时饮用，可回冲1次。

此单元设计的5道发奶饮品，属性平和，即使天天喝也不会有上火或是太凉的问题。若有可食用的药材，像枸杞、红枣、桂圆等，可不要放在卤包袋中，泡好直接食用。

青木瓜红枣茶

功效：补气血、美容颜、通乳汁

食材 淮山1两、麦冬5钱、红枣3钱、青木瓜块半碗、冰糖适量

做法

1 淮山和麦冬放入卤包袋中。

2 卤包袋和红枣放入锅中，加水1500毫升，浸泡半小时，再放入青木瓜块，大火煮滚，转小火熬煮约1小时，取药汁，加入冰糖即可。

桂圆玫瑰茶

功效：补血黑发、强肾抗老、抗忧解郁

食材 玫瑰6朵、桂圆1两、桑葚3钱、玉竹3钱、菟丝子1.5钱、通草0.5钱

做法 所有食材分为2份，每次取1份装入卤包袋中，放于保温杯中，加300毫升的滚水冲泡，焖约5分钟，时时饮用，可回冲1次。

桑葚天冬茶

热量 0 卡/天

功效：阴阳双补、减少掉发、养血明目

食材 枸杞5钱、桑葚3钱、何首乌3钱、天冬3钱、无花果1个

做法 无花果切半后，将所有食材分为2份，每次取1份装入卤包袋中，放于保温杯中，加300毫升的滚水冲泡，焖约5分钟，时时饮用，可回冲1次。

附录1 认识自己的体质

中医认为人一出生在体质上即有分别，也就是所谓的“先天体质”。然而经过成长及饮食等种种外界因素的影响，人的体质也会有所改变，即形成所谓的“后天体质”。通常只要“体质”上有所欠缺则都是属于虚证的人，也就是最需要食补和药补的对象。

在中医理论中，体质一般分成虚证和实证。这里把其中常见的体质，显现于外的特征和主要症状列出，让你可初步判断自己是属于哪一种体质。

各种类型体质的饮食和生活注意事项

★阳气虚弱型、血虚型、气郁型、血液瘀阻型及寒湿型体质

- 要多吃平和及温暖的食物。
- 避免单独吃生冷、寒冷的食物。

吃到生冷食物的补救措施

- 在吃过冰品或寒凉食物后，可喝红糖水、姜汤、葱花蛋花汤、桂圆茶或金桔桂圆茶等温热食品中和。
- 大部分蔬菜性多寒凉，烹调此类蔬菜时可加入辛温的葱、生姜及胡椒等调味品。
- 烹煮寒凉的蔬菜可和鸡肉、羊肉、牛肉等温热性肉类一同烹煮，能减轻寒性，避免损伤阳气。

★阴虚干燥型、脏腑上火型及火热型体质

- 要多吃平和及凉润的食物
- 避免经常吃燥热食品

吃到燥热食物的补救措施

- 与凉润食物一同食用，如羊肉与大白菜、西瓜与番石榴；或进餐后吃番茄、莲雾等凉性食物，喝绿豆汤、薏仁汤、薄荷绿茶、芦荟汁、蜂蜜水、甘蔗汁或冬瓜茶等饮品以中和。

★气阴两虚型及寒热夹杂等综合体质（冷热不和）

- 要常吃平和易吸收的食物。
- 轮流或同时食用凉润及温性食物，相互平衡。
- 避免生冷、寒冷及燥热食品。食寒冷食品易伤阳气；而过食燥热食品则易伤阴液及助长热性。

★情绪郁闷型体质

- 要适时舒解情绪，放松心情。

★血液瘀阻型体质

- 坚持适量运动，以帮助血循顺畅。建议一星期做1～3次运动，每次约20～30分钟，膝盖有问题者不宜进行爬山、骑脚踏车等运动。

日常食物属性一览表

食物属性	食 物 名 称
平和	葡萄、柠檬、木瓜、菠萝、枇杷、李子、乌梅、茼蒿、包心菜（高丽菜）、莲子、豌豆、四季豆、豇豆、蚕豆、青豆、花生、黑木耳、玉米、地瓜、马铃薯、山药、芋头、橄榄、豆浆、豆腐皮、白米、糙米、黄豆、黑豆、红豆、冰糖、鱼肉、猪肉、猪血、猪胰、猪心、猪肾、鸡蛋、鹅肉、鹅血、鹌鹑、鹌鹑蛋、燕窝、干贝、鲈鱼、鲤鱼、鲍鱼、牛肝。
凉润	白萝卜、菠菜、瓢瓜、冬瓜、丝瓜、小白菜、地瓜叶、苜蓿芽、黄豆芽、菱角、莲藕、茄子、芹菜、茭白、苋菜、莴苣、竹笋、芦笋、香菇、冬菇、蘑菇、金针菇、白木耳、绿豆、豆腐、茶、白芝麻、麻油、生姜皮、苹果、莲雾、番茄、甘蔗、橙子、火龙果、蜂蜜、乌骨鸡、猪皮、鸭、鸭蛋、章鱼、鳖（甲鱼）、田鸡肉、羊肝、蛋白、牛奶、小米、薏仁、大麦。
温暖	胡萝卜、油菜、芥菜、刀豆、南瓜、鳄梨、龙眼、荔枝、樱桃、番石榴、金桔、杨梅、桃、杏、松子、栗子、黑芝麻、糯米、燕麦、黑糖、麦芽糖、蒜、香菜、生姜、葱、洋葱、韭菜、醋、沙茶酱、牛肉、牛肚、鸡肉、猪肝、猪肚、羊肚、羊奶、鹅蛋、鸡蛋黄、鸡肝、鹿肉、虾、鳝鱼（黄鳝）、海参、淡菜。
寒冷	一般生食、冰品、西瓜、雪梨、柚子、葡萄柚、椰子、橘子、杨桃、柿子、香蕉、芒果、奇异果、香瓜、桑葚、大白菜、黄瓜、苦瓜、空心菜、牛蒡、绿豆芽、紫菜、海带、西洋菜、豆豉、荸荠、小麦、荞麦、食盐、酱油、白砂糖、蛤蜊、牡蛎肉、蚌类、螃蟹、猪肠、鸡蛋白、鸭血。
燥热	肉桂、核桃、高丽参、鹿茸、蜂王浆、榴莲、胡椒、辣椒、老姜、羊肉、熏炸煎烤物、麻辣香锅、麻油鸡、姜母鸭、羊肉火锅、十全大补汤、四物汤、四神汤。 刺激性食物：腌渍品、咖啡、咖喱、酒、烟、槟榔。

实证

★火热型（脏腑上火）

火热体质主要是因遗传、常熬夜、在高温环境工作或常吃燥热上火的食物所造成，常见于干瘦的人身上（瘦人多火），主要特征有：烦躁易怒、脸红发热、流汗多颜色黄且有味道、嘴巴觉得口苦口臭、常觉得口渴喜水、小便量少颜色呈深褐色、大便干硬等。

★寒湿型

主要是水分代谢减退、失常，使水分与痰都停滞在身体内，尤以肥胖的人最为常见（胖人多痰），喜欢吃甜食、嗜睡、头脑昏昏沉沉、觉得身体很重，囤积了许多身体的废物而无法顺利排出，会出现：关节肿胀、水肿、腹泻、小便颜色清澈且量多、身体长湿疹但皮肤不会发红等症状。

★情绪郁闷型（气郁型）

情绪郁闷主要是情绪失调、长期精神抑郁、紧张焦虑、压力过大等造成的身心症，常见于高瘦的人身上，主要显现的症状有：精神抑郁、容易焦虑、忧郁、紧张、压力大、常叹气、胸闷、烦躁睡不好、头痛头胀、便秘或腹泻、痛经等。

★血液瘀阻型

所谓的血液瘀阻，指的就是血行迟缓而不顺畅，这种体质大多是由于遗传、缺乏运动、长久居住在寒冷地区，甚至是常吃寒冷的食物造成，主要症状有：容易瘀青、息肉、肿块、肿瘤，甚至会因血路不通而伴随莫名疼痛等。

虚证

★阳气虚弱型（脏腑功能低下）

会表现出身体功能低下、热量不足、容易受寒的生理特征，又称为冷底。通常以身材矮小、消瘦的人居多，但临床上也常见体型高大、虚胖浮肿的患者。主要的症状有：精神不振、疲倦无力、脸色苍白、畏寒怕冷、四肢冰凉、容易感冒、呼吸气短、食欲差、小便次数多且颜色清量多、大便较软或易腹泻等。

★血虚型

血虚是指身体中的血压过低、血液不足，或血生成功能减退的状态，容易发生在女性身上。此型体质的人，容易疲劳、头晕目眩、脸色会呈现苍白或萎黄状、嘴唇苍白、头发干枯、眼睛常感干涩、看东西模糊、四肢麻木、抽筋、月经量少、月经延后或一直没来、皮肤干燥脱屑。

★阴虚干燥型

这种体质的人身体中的津液不足，常见于体型比较干瘦的人身上，主要会呈现的特征有：脸潮红、长满青春痘和粉刺、眼睛充血、口干舌躁、易烦易怒、常会有饥饿感却不想吃东西、小便量少、大便干硬、皮肤干燥等。

中药材功能索引

本书使用的中药材依功能分为20类，希望能帮助读者了解不同药材相应功效。

活血化瘀

当归
泽兰
益母草
桃仁
茜草
丹参
川芎
玫瑰花
郁金

止血

炮姜
荆芥炭

止痛

延胡索
川楝子
香附
麦芽

健脾养胃

党参
红枣
葛根
玉竹
芡实
甘草
谷芽
桂花
茯苓
绿萼梅
莲子
灵芝
白扁豆
佛手
广皮
神曲
紫苏
蜜枣

强筋壮骨

天冬
杜仲
骨碎补
桑寄生
牛乳埔
杜仲叶
鸡血藤
天麻

补血强心

当归
桂圆

补肺强心

东洋参
百合
西洋参
黄耆
太子参
白木耳
灵芝
炙甘草

强肾

黑豆
菟丝子
灵芝
淮山
胡桃

滋肾养阴

女贞子
天冬
旱莲草
鳖甲
石斛
枸杞
黄芪

中药材小档案

中药材在一般中药店或市场均可见，但建议去正规中药店进行购买，质量较有保障。中药材的基本选购保存原则如下：

1. 干性药材（如党参、续断、麦冬等）若有虫蛀现象；或湿性药材（如枸杞、红枣等）有受潮、发霉、黏手现象，最好不要购买。
2. 部分中药材虽为干燥后成品，可长期保存，但必须在购买时询问药材准确的保存期限及方法，以免过期或因保存不当，而丧失药效或变性。
3. 湿性药材比较容易发霉，干性药材则易虫蛀，密封好后以放在冰箱冷藏保存为佳。

寒性药材

天冬

功效与麦冬相似，性寒、味甘苦。有润肺滋肾、清热养阴、润肠通便的效果。药材选择以黄白色、半透明为佳。感冒风寒、脾胃虚寒、腹泻者忌服。

旱莲草

补肝益肾、凉血止血及乌黑毛发的功效，是头发早白、掉发秃发、记忆力减退、睡眠障碍、头晕耳鸣、小便出血、女生月经提前、色鲜红、经期过长等症的常用药。

金银花

俗称忍冬花，有清热解毒、消炎镇痛、凉血治痢的功能，专治风热感冒、化脓性病的发烧、梅毒、疮毒及各种发炎等。药材选择以花瓣上呈黄褐色、基部呈赤褐色为佳。

桑叶

主要的功用为清热明目、去风凉血、生发，可以用在治疗咳嗽、头痛、流眼泪和急性扁桃腺发炎等症状。

川楝子

具行气止痛、利尿杀虫等功效，可抑菌退热及镇痛等药理作用。

茜草

性味苦，寒，有凉血止血及活血去瘀等功效，为月经不调、经痛及跌打损伤等症的常用药。

黄连

味苦，具清除内热、泻火解毒、除湿气等功效。有消炎抗菌、镇定退热等药理作用。适用于身体发热、烦躁易怒、胃口过盛、恶心呕吐、睡眠不稳、疮疡肿毒等热症。常用于新生儿湿疹。

绿豆

能清热消暑、强肝解毒，主治口干舌燥、肝胆火旺等症状。脾胃虚弱者忌单独服用。绿豆皮清热解毒的功效较绿豆仁强，但不宜煮太久，否则会降低解毒的功效。

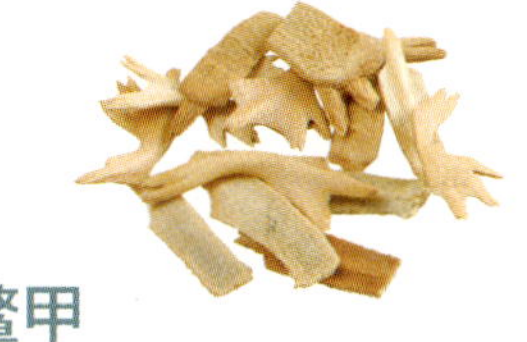

鳖甲

有清凉补阴、清热降火、软化硬块、散除肿瘤的作用，为颜面发红、急躁易怒、睡眠差多梦、口燥咽干、口渴、手足心发热、睡时流汗、大便干硬、小便量少、肌肉异常抽动、筋骨酸软无力的常用药。

郁金

有疏肝解郁、活血止痛、凉血止血、行气解毒、清心火、开神志等功效，为肿块、肿瘤、黄疸、发热心烦、神识不清、局部疼痛、月经不调、经痛、吐血尿血及流鼻血等热症的常用药。

微寒性药材

丹参

味苦，可活血去瘀、凉血清心、养血安神、排脓止痛，有活血、调经、改善产后恶露滞留引起的腹痛等功用。药材选择以形状大，呈深红色，除去细根仍不易折断者佳。出血过多及孕妇忌服。

百合

可清热宁心、润肺止咳，有镇咳、治疗神经衰弱、消炎的作用。药材选择以鳞片小、味道浓、色泽黄白、质重充实的新鲜品为佳。

沙参

又名银条参，可清肺养阴、益胃生津、除虚热。药材选择上以粗大色黄者为佳，若肺寒咳嗽，痰白量多者忌服。

益母草

有活血去瘀、清热解毒、通经催产、促进排便及排尿等功效，常用于月经不调、经痛、便秘及尿少等症。为妇科常用药，但孕妇不宜自行使用，药材选择以带青色为佳。

通草

有清热降火、利小便、提升中气及通畅乳汁等功效。

茺蔚子

具有活血化瘀、清肝明目及调整月经周期的功效，为眼睛红肿、疼痛的常用药，但要注意瞳孔散大者不宜用。

凉性药材

白芍

养血滋阴、镇痛力强，可治腹痛、腹胀、身体手脚疼痛。药材选择以内部白色，如手指般粗硬者为佳。

女贞子

有补肝益肾、滋阴明目及镇定安神等功效，能减轻抽筋或低热，常用于营养眼睛、滋润皮肤、安神定志及调整月经周期。

石斛

有滋阴健胃、清热生津及益肾明目的效果。药材选择以茎细、质柔软、小型者为佳。

茉莉花

又名小南强、木梨花，可理气、解郁，对腹泻、发热有改善效果。选择上以气味芳香浓郁、花朵较大、色呈棕黄者为佳。

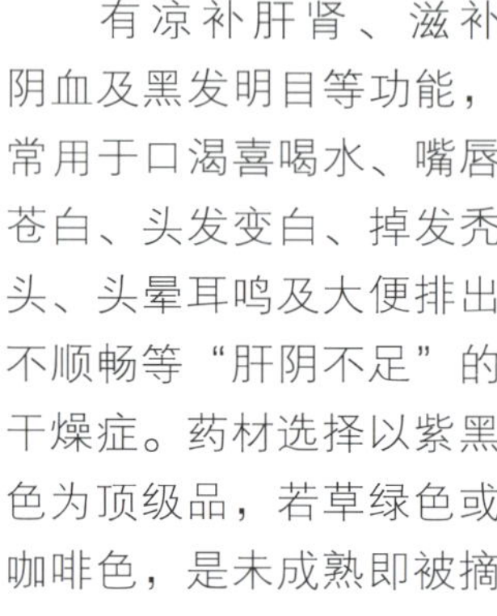

桑葚

有凉补肝肾、滋补阴血及黑发明目等功能，常用于口渴喜喝水、嘴唇苍白、头发变白、掉发秃头、头晕耳鸣及大便排出不顺畅等“肝阴不足”的干燥症。药材选择以紫黑色为顶级品，若草绿色或咖啡色，是未成熟即被摘下晒干的次级品，治疗效果不佳。

西洋参

又称粉光参，可降火气、除烦躁、生津解渴，还有降血糖的功效。适合凉补，若需温补，则以人参效果较佳。

麦冬

又名麦门冬，有清热养阴、润肺养胃、清心除烦、润肠通便的功能，能治虚烦失眠、口干舌燥、咽喉肿痛、便秘等症状。药材选择以淡黄色、大且重者佳。感冒风寒、脾胃虚寒、腹泻者忌服。

葛根

有发汗解热、降血压、止泻、改善感冒时引起肩颈酸痛的功能，药材选择以白色、新鲜、手摸起来粉粉的、白白的为佳。为治疗夏日感冒腹泻常用药。

薄荷

可散热解毒、疏肝解郁、镇定安神、帮助睡眠，主要用来治疗感冒头痛、胃部闷痛、肝气郁闷、消化不良、头晕目眩等症状。选购上以新鲜气味清香者为佳。

薏仁

又称薏苡仁，有健脾止泻、清热解毒、消肿利湿的作用，主治水肿、皮肤湿疹、风湿等症状。药材选择以色白大粒为佳。

平性药材

天麻

有强筋骨、镇静止痛、止痉挛的功效，专治头痛、目眩、焦躁不安、风湿痛等症状。药材选择以形似大爪、透明且色黄白者为佳。

王不留行籽

味辛、甘，有活血通经、利小便及通畅乳汁等功效。

太子参

有补肺益脾及生津止渴等功效。作用与人参相似，虽力量较弱，但因不易引起上火反应，故为病后或手术后的清补妙品。

牛乳埔

性温，味平、具去风除湿、补肾壮骨、滋阴润肤、缓解虚咳及改善白带等功效。

玉竹

有滋阴生津、润肺养胃的功能。用于干咳无痰、低烧不退、胃灼热、盗汗等症状。药材选择以肥大、湿润者佳。脾虚有痰者忌服。

甘草

味甘甜，生甘草有清热解毒、祛痰止咳的功能，用蜂蜜炒过的炙甘草则有补中益气、调和药性及缓急止痛的功能，用于气虚倦怠、咽喉肿痛、咳嗽痰多及胃病等症状。药材选择以皮薄带红色、笔直且味甘甜为佳。体内水分过多及呕吐者慎服。

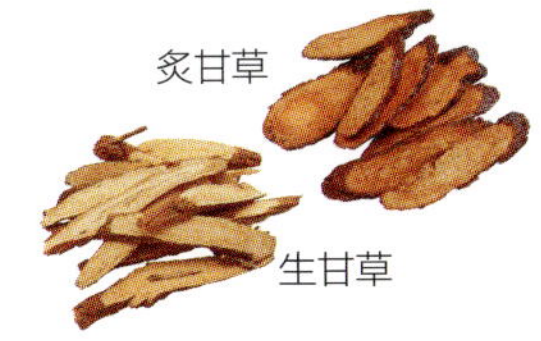

无花果

性味甘、平，有健脾和胃、滋阴润肠及促进乳汁分泌等功效。

白木耳

具有清凉润肺、养胃整肠、生津止渴、强壮心脏及益智健脑等功效。含蛋白质、碳水化合物、脂肪、纤维素、钙、磷、铁、钾、镁、硫、钠及卵磷脂成分等营养素，具有健脑安神、抗动脉硬化、强肝排毒、延缓老化及美颜润肤等药理作用。

因含滋润胶质，咳嗽痰多色白及容易腹泻者，不宜多食或单独食用。

合欢花

可帮助安神除烦、疏肝解郁、宁心安眠等功效，为情绪失调、抑郁不抒、紧张烦躁、睡眠障碍及记忆力减退等症的常用药。

芡实

有健脾止泻及补肾作用，主治食欲不振、腰膝疼痛、尿失禁、腹泻。药材选择以干燥、粒子大小一致、壳已完全去皮、内部呈白色者为佳。体质特别燥热及便秘者忌服。

枸杞

具补精血、益肾、养肝明目的功能，常用于疲劳、肾精不足、腰膝酸软、肝肾阴虚、眼目昏糊等症状。还可促进免疫功能及造血功能，使白血球增多，增强抗病能力。药材选择以粒大呈鲜红色者佳。外部实热、脾虚湿滞者忌服。

赤小豆

有补血、利尿、消水肿等功能，可改善水肿、增强体力。

香附

又名香附子，有抗菌、抗炎、解热、降压、镇痛、抑制子宫收缩等作用。药材选择以粒大肥厚、质坚、色紫红光润、香气浓厚为佳。

桂花

具健胃、止咳、化痰、润肺功效，可防止口干舌燥、消解胃胀气；还可净化身心、舒缓紧张情绪、平衡神经系统，排除体内毒素，使肌肤白皙。选购时要以杂质少、较干燥，颜色较鲜亮有光泽者为佳。

桃仁

有滋润肠道、促进排便、止咳平喘及活血去瘀止痛等功效，适用于局部疼痛、月经不调、经痛、肿块、肿瘤、便秘、气喘及咳嗽等症。要注意，有小毒不宜过量，孕妇禁用。

桑寄生

具补肝肾、去风湿、舒筋活络及养血安胎等功效。还有扩张冠状动脉、降低血压、镇静止痛、利尿及抑制子宫收缩等药理作用。

茯苓

作为健脾利尿用，主治胃内积水、痉挛晕眩、小便困难、口渴等症。药材选择以色白、硬重者为佳。

蜜枣

性味甘、平，具有健脾养胃及滋阴补血等功效。

褚实子

作用于脾、肝、肾，具补肝滋肾、补血明目、利尿除湿等功效，适用于头晕眼花、腰膝酸软及尿少水肿等证。

荷叶

有清暑利湿、止血散瘀的功用，可治眩晕、水气浮肿、腹泻、损伤败血、痘疮不发、雷头风（病名，是头痛兼有雷鸣之声响）。药材选择以叶大完整、色泽绿且无斑点为佳。

菟丝子

具补肾益精、安胎、养肝明目及益脾止泻等功效。含维他命A及胡萝卜素，有营养眼睛、健脑安神、增强体力、促进性功能、抑制肠道蠕动、减少腹泻、强心、降血压及眼压和防止流产等药理作用。本品为细小的种子，使用时宜放入纱布袋中包好再煎煮。

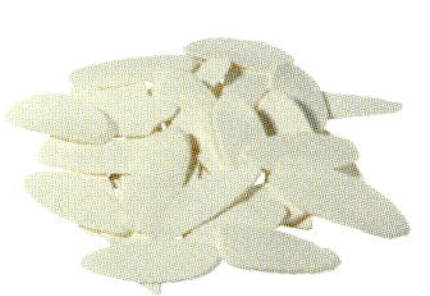

淮山

又名山药、薯蓣、薯药，可补脾胃，益肺肾，用于脾胃虚弱、食少体倦、肺虚久咳、小便频繁等症状。容易胀气及体内水分滞留者忌单独服用。

生麦芽

炒麦芽

麦芽

麦芽有分成生麦芽和炒麦芽。生麦芽主要作用是疏解肝气，而炒过有健脾开胃的功效，可用来治疗消化不良、食欲不振等症状。

黄精

以蜜炒过则为蜜黄精，本书食谱及茶饮多用蜜黄精。有补脾养肺、益肾补精的功能，用于食欲不振、体倦乏力、口干舌燥、干咳无痰、阴血不足、肾虚精亏、眩晕腰酸等症状。咳嗽痰多者忌服。药材选择以肥大无分岐者为佳。

黑豆

黑属肾，青属肝，青仁黑豆兼具滋肝补肾的功效，能促进体内新陈代谢、解毒、消水肿、固齿、乌发，少量能醒脾，生吃过多则会损脾胃。

谷芽

性味甘平，可帮助消化食物、消除胀气、健胃整肠。

绿萼梅

又名白梅花，具有疏肝解郁、行气健胃等功效，为胃痛胀气、胃口不佳、肋骨处疼痛等消化不良的常用药。

莲子

作为镇静、除湿痒、强壮用，主治腹泻和心悸失眠。药材选择以成熟，如石头般硬者为佳。

莲藕粉

能润肺宁神、通窍化瘀、促进消化、收敛止血，并有去除紧张疲劳、缓解压力及安定神经的功用。药材选择以色呈紫白色为佳。

党参

有补中益气、生津养血的功能，主治脾胃虚弱、食欲不振、倦怠乏力、肺虚咳嗽、烦渴等症状。体质燥热者忌服，且不宜与藜芦同服。由于党参的规格很复杂，药材选择一般以粗长均匀、切面呈白色，且光滑湿润无空隙者为佳。

微温性药材

何首乌

有益精血、补肝肾、解毒、润肠通便及降血脂和胆固醇的功能，常用于血虚、腰膝酸软、肝肾不足、头目眩晕、须发早白、肠燥便秘等症状，现代也用于治疗高血压、冠状动脉硬化性心脏病等。药材选择以横切面呈淡红色花纹。表面有五条纵深沟且粗大者佳。湿痰较重者忌服。

东洋参

东洋参为人参的一种，主产在日本、韩国及中国的白参，有大补元气、补益肺脾、安定神志、益智健脑及生津止渴等功效。和西洋参的差别它是属于温补，但不像高丽参这么燥热，所以温补药膳时以东洋参为主。

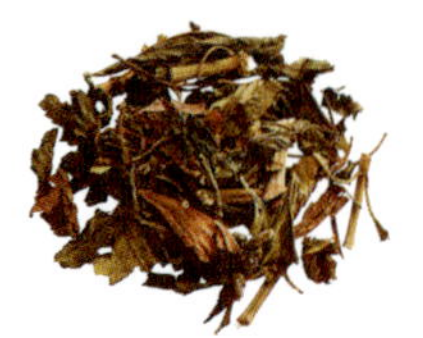

泽兰

具有活血去瘀、消肿止痛及利尿除湿等功效，适用于月经不调、经痛、产后诸症、身体肿胀、小便不畅及跌打损伤等症。

荆芥

有发汗止血及去风散邪的作用；炒黑则为荆芥炭，有止血功效。适用于头痛头重、发热怕冷、全身酸痛、鼻塞鼻涕清，便血及流鼻血等症。有抑制细菌、解热发汗及缓解肌肉疼痛的药理作用，为感冒头痛常用药。

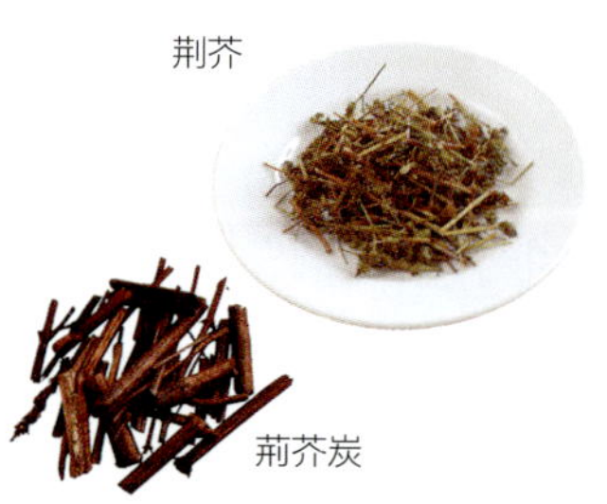

灵芝

具补气养血、止咳平喘、调理五脏及宁心安神等功效，有抗衰老、强心强壮、降血脂、保肝、抗过敏、促进白血球生成及预防动脉硬化等药理作用。

适用于精神不振、疲倦无力、容易出汗、懒言懒动、头晕嗜睡、心悸胸闷、动则易喘、久咳、气喘、心神不宁、失眠多梦、健忘痴呆等虚弱症状。

温性药材

川七

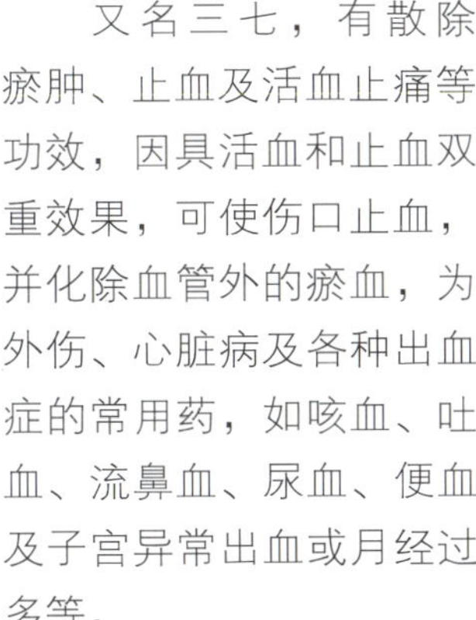

又名三七，有散除瘀肿、止血及活血止痛等功效，因具活血和止血双重效果，可使伤口止血，并化除血管外的瘀血，为外伤、心脏病及各种出血症的常用药，如咳血、吐血、流鼻血、尿血、便血及子宫异常出血或月经过多等。

川芎

有活血去瘀、去风止痛的功能，可治头痛、月经不顺、产后瘀痛等症状。药材选择以呈黄白色，粗大有强辛味者为佳。阴虚火旺、肝阳上亢所引起的头痛及月经过多者忌服。

五味子

味甘酸，可益气生津、补益肺肾、养心安神，有保护肝脏机能与改善神经系统效用。药材选择以球形或长圆形外状的果实，表皮呈黑褐色，内部呈黄白色，粗大有强辛味者为佳。

白扁豆

有健脾和胃、消暑止渴、除湿解热的功用，在中药行可以买到生的和炒过的白扁豆，生的多用于夏天，消暑退火、除湿解热；炒过适用于消化不良，或在冬天用，加强肠胃道功能，避免受寒。药材选择以粒大饱满且色白为佳。

艾叶

具有散寒气、缓解疼痛、改善出血及温暖经络的功效，适用于寒性消化不良、呕吐反胃、腹部胀痛，大便稀软及下腹冷痛等症。

胡桃

又称核桃，味甘，具补肾助阳、补肺止喘及润肠通便等功效，含蛋白质、脂肪、钙、磷、铁、胡萝卜素及维他命B2等营养物质，适于虚性腰痛、虚性气喘或血虚津液不足之便秘者。

延胡索

又名元胡，有活血行气止痛的功效，为各种痛症的常用药，有镇痛镇静、止吐、安眠及解除痉挛等药理作用。

佛手

具疏畅肝气、行气止痛、消胀气、止呕吐、化痰止咳等功效。

杜仲

常用于补肝肾、强

筋骨、益腰膝，适用于肾气虚及寒湿入侵所致的腰痛，并有安胎作用。药材选择以色黑、湿润、横折会产生银白色绵丝般物质者佳。

杜仲叶

具有补益肝肾、强壮筋骨、安胎的功效。效果不如杜仲，但较易入口，适宜茶包使用。

防风

可去除因风邪而引起的头痛、风湿痛、关节疼痛以及腹痛腹泻等症状；还可解热、抗菌镇痛、止泻止血、抗过敏的作用。药材选择不论种类，外皮呈淡黄色、质地紧密、长粗湿润者佳。阴虚火旺者忌服。

刺五加

具补中气、益肾精、去风湿、强壮骨质、益智健脑及抗衰老之功效。据现代研究，刺五加含糖苷及多种微量元素，可促进骨髓的造血功能及防御细胞的吞噬能力、增强性腺功能、兴奋提神、抵抗疲劳、增加免疫力及调整血压。

玫瑰花

有疏肝健胃、利尿、镇静安神功效，选择上以色泽鲜艳、气味芳香者为佳。

红枣

味甘甜，有健脾益胃、补气养血、安神和缓和药性的功能，可增加食欲、止泻、保护肝脏、增强免疫力及减少烈性药的副作用。

淫羊藿

甘温的补阳药，主要作用于肝肾，有补肝温肾、去风除湿、益气强志的功效，主治风湿疼痛及阳萎不孕。据现代研究，含维生素E，能强化性腺功能、增强淋巴细胞增生及延缓老化等药理作用。

炮姜

是由干姜炒至外皮黑，内呈老黄色而成的炮姜，有温经止血及温暖止痛的功效。火热体质或饮酒后均不宜过量食用。

骨碎补

具补养肝肾、强筋续骨及活血止痛等功效，为跌打损伤、腰酸背痛的常用药。

桂枝

具温经通络、减缓经痛、镇静镇痛的功效，还有扩张皮肤血管、发汗散寒及利尿的作用。药材选择以幼嫩、红棕色、香气浓为佳。温热病及阴虚阳盛者忌服，孕妇及月经量多者慎服。

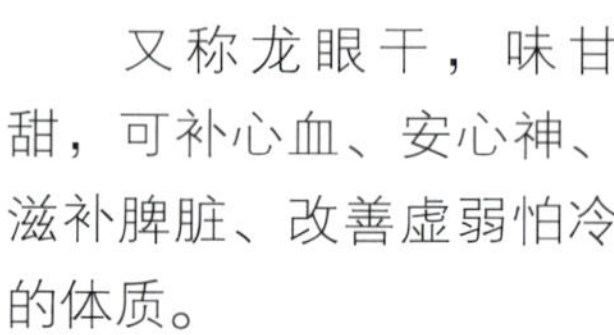

桂圆

又称龙眼干，味甘甜，可补心血、安心神、滋补脾脏、改善虚弱怕冷的体质。

神曲

是由面粉、麦粉与数种中药混合后，经酵母菌发酵而成的复方中药，具有开胃、促消化、消除胀气、健胃整肠及止泻等功效，为食欲不振、消化不良等症的常用开胃药。

紫苏

它的气味芳香，有发汗散寒、行气安胎、和胃止呕、止泻、消暑、去除秽气及解鱼蟹毒等功效，为妊娠感冒与呕吐的常用药，使用时不宜煎煮超过五分钟。

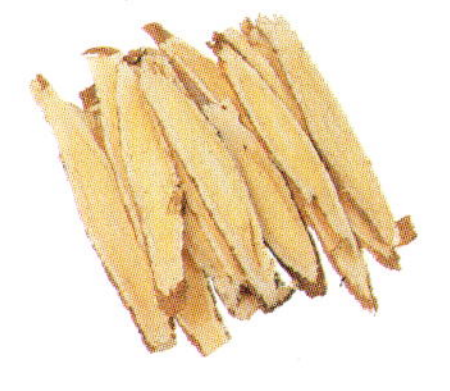

黄芪

有补中益气、利水退肿、降血糖的功效，用于气虚倦怠乏力、气虚发热、脱肛、便血、浮肿、小便困难等症状。药材选择以外观呈淡褐色或黄褐色，内部呈黄白色、质地柔软且有甘香味者佳。

当归

微苦，能使血各归其所，故名“当归”，具补血润肤、活血止痛等功效。可调整月经、润肠通便、强肝保肝、抗菌消炎、降低血脂、抗恶性贫血、防止心肌缺血、促进局部血液循环。主治贫血、月经不调、经痛、风湿痛、跌打损伤、肠燥便秘等症状。药材选择以肥大、多须根如马毛状、外皮呈褐紫色，内部呈黄白色者佳。

广皮

就是橘皮，若产在广州的橘皮则被称广皮。味苦，有理气和胃、健脾、燥湿化痰的功效，能平喘祛痰、排出胃肠积气、有助消化及抗溃疡的功用。药材选择以大片、色红、油润者佳。实热、舌红少津者忌服。

鸡血藤

性温，味辛、甘，有补血强肝、舒畅筋脉及促进血液循环的功效。

续断

又名川断或川续断，味苦性温，有补肝肾、续筋接骨、通血脉、镇痛、促进组织再生、安胎止血的功能，常用于腰腿酸痛、脚膝无力、跌倒损伤、胎动漏血、月经过多或月经痛等症状。切面有棕黑色环纹、筋少、内色发绿者佳。阴虚火气大者小心服用。

北京市版权局著作权登记号 图字：01-2013-3694

图书在版编目（CIP）数据

坐月子调理，一学就会 / 庄雅惠著．— 北京：东方出版社，2013
ISBN 978-7-5060-7038-6

Ⅰ．①坐… Ⅱ．①庄… Ⅲ．①产褥期—妇幼保健—基本知识 Ⅳ．① R714.6

中国版本图书馆 CIP 数据核字（2013）第 283320 号

坐月子调理，一学就会
（ZUOYUEZI TIAOLI，YI XUE JIU HUI）
庄雅惠 著

责任编辑：刘 晗 张福伟
出 版：东方出版社
发 行：人民东方出版传媒有限公司
地 址：北京市东城区朝阳门内大街 192 号
邮政编码：100010
印 刷：北京次渠印刷包装有限公司
版 次：2014 年 1 月第 1 版
印 次：2014 年 1 月北京第 1 次印刷
开 本：710 毫米 ×1000 毫米 1/16
印 张：10.25
字 数：155 千字
书 号：ISBN 978-7-5060-7038-6
定 价：39.80 元
发行电话：（010）65210059 65210060 65210062 65210063